CE DIEU ABSENT
QUI FAIT PROBLÈME

FRANÇOIS VARONE

CE DIEU ABSENT
QUI FAIT PROBLÈME

Religion, athéisme et foi :
trois regards sur le Mystère

Préface de Christian Duquoc, o.p.

6ᵉ édition

« Apologique »

LES ÉDITIONS DU CERF
29, bd Latour-Maubourg, Paris
1989

Il est très difficile de croire en un Dieu qui aurait pu empêcher Auschwitz et qui l'a permis.

Auschwitz et d'innombrables autres horreurs !

L'existence d'un Dieu omniscient, omnipotent, et qui ferait de l'amour son principe essentiel, est contredite par toute l'histoire de l'humanité.

Arthur Koestler

Car enfin — et même si vous êtes adulte — pour qui dormir, si Dieu n'existe pas, et pour qui vous réveiller ?

Françoise Sagan

© Les Editions du Cerf, 1981
ISBN 2-204-02043-5

PRÉFACE

L'ouvrage de M. Varone est courageux. Il traite, dans un langage toujours accessible et souvent imagé ou poétique, d'une question objectivement difficile : notre connaissance de Dieu. Une longue pratique pastorale dans la formation permanente lui a enseigné les écueils multiples que cachent de tels sujets. Aussi, pour faire clair et guérir les images désastreuses qui s'attachent trop souvent à cette connaissance, a-t-il avancé une hypothèse de travail, à son avis opératoire : distinguer le Dieu de la religion et celui de la foi.

Je sais qu'on ne manquera pas d'élever des objections contre cette hypothèse. On rappellera son utilisation par K. Barth, sa naturalisation en théologie catholique, notamment par le P. Liégé, et les réserves que, depuis lors, on a élevées contre l'opposition abstraite entre ces deux catégories.

Il est vrai, mais je suis persuadé pour ma part que, sous un identique vocabulaire, nous avons affaire à des problématiques différentes. En effet, M. Varone n'impose pas à la réalité pastorale ou à l'existence chrétienne des catégories définies a priori. Sans doute est-ce la raison pour laquelle son hypothèse me paraît opératoire : elle est issue d'une pratique pastorale réfléchie et d'une investigation rigoureuse des images et des réflexes quasi spontanés qui encombrent l'approche de Dieu.

La religion désigne, pour M. Varone, tout ce qui n'entre pas dans le champ délimité par l'action de Jésus auprès de ceux qui sont privés, à vues humaines, de tout espoir et souvent de toute dignité. La sélection des attitudes, des gestes, des croyances, des convictions provient donc d'une analyse des axes fondamentaux du Nouveau Testament, sans cesse référés à ce que les Evangiles nous rapportent des attitudes de Jésus. Ce qui n'entre pas dans ce champ est versé à l'actif de la religion. Celle-ci n'est donc aucunement définie a priori, bien que l'auteur, de façon justifiée, établisse des corrélations entre les deux notions « religion et foi », dans des situations indépendantes de toute référence concrète à l'Ecriture. Il n'est pas abusif qu'une notion induite à partir du Nouveau Testament puisse devenir un principe de cohérence pour toute l'existence chrétienne.

La partie la plus importante de l'ouvrage illustre cette ambition. L'auteur ne craint pas de prendre audacieusement position, mais toujours avec beaucoup de nuances, sur des problèmes cent fois étudiés, tel le rapport de la liberté humaine à celle de Dieu. J'admire l'aisance avec laquelle il fait jouer dans les questions les plus ardues les principes issus du Nouveau Testament, principes si fondamentalement libérateurs.

Pour ma part cependant, j'hésiterais à souscrire à certaines affirmations sur le rapport de Dieu à l'avenir, en vue de sauvegarder l'autonomie humaine. Je serais plus réservé sur les points qui touchent à la condition de l'Absolu. Il est osé d'en parler comme si on se situait à son point de vue ; nous ne savons de Dieu que ce qu'il nous communique. L'auteur le sait, aussi combat-il nos folles imaginations qui imposent à Dieu nos névroses et favorisent les pouvoirs qui cherchent d'autres intérêts que celui de la liberté heureuse des hommes.

De l'hypothèse de notre auteur se dégage donc un je ne sais quoi de sain qui ferait aimer le christianisme avec enthousiasme si tant de faux-semblants, de fatigues, de mesquineries ne le défiguraient chaque jour sous nos yeux. Aussi ce livre est-il susceptible, en raison de son sérieux et de la passion qui l'habite, d'éveiller à d'autres évidences qu'aux évidences communes qui nous cachent le visage du Dieu de Jésus Christ.

                                                    Christian Duquoc

INTRODUCTION

Il y a la guerre, la torture et la faim. Et l'on dit : «Les hommes sont méchants!» Mais il y a la petite fille de douze ans, déjà rongée par le cancer. Et là, que dit-on de Dieu?

Il y a la société et le monde entier où règnent convoitise, violence et domination. Jamais le juste Gouvernement de Dieu, jamais la sage Providence du Puissant! A l'instant même, une multitude d'hommes et de femmes à travers le monde — et j'en connais quelques-uns — voient leur désir de vivre broyé, anéanti. Il faut que Dieu intervienne. Ils Le supplient. Et rien!

Vraiment, ce Dieu absent fait problème!

Et s'il ne se tenait éloigné que parce que nous ne méritons pas son aide? Alors, redoublons vite de zèle, multiplions les prières et les sacrifices, peaufinons nos rites, rendons la Loi encore plus précise et plus dure : peut-être parviendrons-nous à Lui plaire et à Le tirer de cet ailleurs où il se cache.

Mais Dieu n'est-il pas absent que parce qu'il n'existe pas du tout? Et pour dévoiler la pleine liberté et l'authentique efficacité de l'homme, ne faut-il pas d'abord faire sauter ce verrou qu'est la religion?

Et pendant que se croisent et se décroisent ces différents regards portés sur le mystère, Dieu, fidèle à lui-même, «cherche des adorateurs en esprit et en vérité» (Jn 4, 23). Et les trouve.

Ce livre a un arrière-pays de quinze ans d'enseignement, de rencontres, de conférences, de sessions, avec des laïcs, des étudiants, des prêtres. J'ai pu percevoir combien rien de solide, intellectuellement et existentiellement, rien de libre ni de serein ne peut s'édifier, tant que l'absence de Dieu n'a pas été affrontée, comprise grâce à l'Evangile et acceptée. Il faut devenir comme le complice de Dieu!

J'ai pu aussi constater que la démarche fondamentale proposée ici ne manquait ni d'actualité, ni d'importance, ni de vertu. Cela m'a encouragé à sceller dans le parcours précis d'un livre ce qui dans la réalité des rencontres est toujours morcelé. Parcours précis, du moins je l'espère ; certainement incomplet, le sujet l'exige. Quant à la méthode, le texte a été tenu à mi-chemin entre un développement scientifique trop lourd et un exposé de vulgarisation trop léger, faisant trop l'économie de l'argumentation. Un livre de lecture, oui, mais surtout un livre de travail.

J'ose croire que ce parcours théologique a le mérite non pas de tout dire, de tout expliquer ni de tout mettre à sa juste place, mais bien d'être un, unifié, de proposer une percée, animée de quelques perceptions fondamentales, que je m'efforce de faire valoir de manière claire et directe, impertinente parfois, dans des questions importantes.

La première partie du livre, chargée d'établir d'abord une structure de pensée, un système de références, un langage commun, se présente inévitablement sous un jour un peu rude. Dans toute entreprise, les débuts sont difficiles. J'ose espérer pourtant que la fidélité du lecteur aux premières pages sera largement récompensée.

A tous ceux qui, seuls ou en groupe, par goût personnel ou par responsabilité éducative et pastorale, désirent s'approcher toujours plus du mystère de Dieu, du sens de la vie qu'il rayonne, de l'extrême enchantement de sa présence au-delà du scandale de son absence, je propose ces pages, cette théologie fondamentale, en espérant qu'elles sauront traduire l'expérience qui m'anime, et susciter en eux et entre eux leur propre recherche, par la pensée, le cœur et la vie.

PREMIÈRE PARTIE

RELIGION, ATHÉISME ET FOI

I

DIEU,
UNE PROJECTION DE L'HOMME ?

Il est impossible de prouver l'existence de Dieu.

Prouver, ce qui s'appelle prouver : établir une argumentation telle que seul un imbécile ou un homme de mauvaise foi puisse ne pas consentir à la conclusion. Il est fini le temps où la religion enfermait l'athée dans l'alternative suivante : ou bien il devait passer pour peu doué intellectuellement, ou bien sa vie morale devait abriter des vices secrets qui le poussaient à nier Dieu pour ne pas avoir à se soumettre à sa loi.

Mais il est aussi impossible de prouver la non-existence de Dieu. Prouver, ce qui s'appelle prouver !

1. UNE ABSENCE QUI GRIPPE L'ARGUMENTATION

A propos de Dieu, de son existence ou non-existence, on ne peut rien prouver parce que les deux hypothèses sont également impensables par l'homme, elles dépassent toutes deux nos possibilités de compréhension, elles font toutes deux éclater notre intelligence.

Prenons l'argument par l'origine du monde, qui démontre Dieu comme cause première de tout ce qui existe.

Nous observons un monde réglé par l'enchaînement causal : l'effet dépend de sa cause qui, elle-même, est l'effet d'une cause antérieure. Question : jusqu'où peut-on remonter la série ? Réponse, et cela devrait être une preuve de l'existence de Dieu :

la chaîne cause-effet ne peut pas remonter indéfiniment, il faut donc qu'il y ait une cause première et c'est Dieu.

En fait, ce n'est pas si simple. Logiquement, il faut retenir trois hypothèses :

① ou bien la chaîne cause-effet remonte indéfiniment — le monde aurait donc toujours existé ;

② ou bien il y a une cause première, une cause qui ne serait pas l'effet d'une autre cause, qui serait donc au-dessus de la chaîne — et cette cause première serait Dieu, principe sans principe, mystère d'une existence qui ne vient d'aucune autre, mais de qui tout provient ;

③ ou bien il y a un effet premier, un effet sans cause — le monde aurait donc commencé de lui-même, spontanément. Une toute petite chose d'abord, devenant de plus en plus grande et complexe par son développement.

De ces trois hypothèses logiques, aucune n'est vraiment réalisable, pensable par mon esprit. Chacune dépasse mon entendement. Que je pense Dieu créateur, ou monde éternel, ou monde commençant de lui-même, je suis dépassé, rien n'est prouvé, aucun de ces éléments ne peut, à lui seul, emporter mon adhésion. Je pense, et je reste indécis.

Un autre argument : l'observation et l'étude du monde dans son développement et dans sa situation actuelle révèlent une réalité si formidablement riche et merveilleuse, du microcosme au macrocosme en passant par l'homme, que cela postule l'existence d'un être supérieur, dont la puissance et la sagesse planifient, agencent et dirigent un tel ensemble.

En fait, pour qu'un tel argument fonctionne, il faut ne retenir qu'une partie du spectacle qu'offre le monde. A côté des merveilles, il y a aussi les horreurs, autant dans l'évolution que dans l'histoire. La profusion de la vie est autant signe d'une pensée directrice que d'un tâtonnement aveugle. Le spectacle de l'histoire, avec ses catastrophes et ses guerres, avec ses violences et ses détresses sans cesse renouvelées, est un argument qui fonctionne autant pour que contre l'existence de Dieu. Devant un Dieu dont l'être échappe à nos catégories et dont l'action se signale autant, sinon davantage, par son absence que par sa présence, la pensée ne peut que rester indécise.

2. QUAND TOUT EST GRIGNOTÉ PAR LE SOUPÇON

Non seulement le croyant ne peut donc prouver — ce qui s'appelle prouver — l'existence de Dieu, mais de plus sa propre foi se trouve agressée en elle-même, diluée par la critique athée qui sème le soupçon et le doute.

L'initiative vient maintenant de la pensée athée : Dieu n'est qu'une projection de l'homme. Le cœur de l'homme est comme une caméra : Dieu n'est que la projection sur l'écran céleste des peurs et des désirs de l'homme.

« La nature, le temps, la santé échappent douloureusement à ton désir : tu imagines donc un Tout-Puissant que ta prière fera agir en ta faveur ! Tu as peur de ta fragilité, de la mort, tu désires vivre un bonheur sans faille, tu as soif d'être aimé et reconnu pour pouvoir donner sens à ton existence : tu donnes donc consistance à un Dieu dont la Providence veille sur toi ! Tu exerces un pouvoir de domination sur les hommes et tu désires le maintenir : alors tu organises une Eglise qui met les puissants à l'abri du Tout-Puissant, conserve l'ordre dans la soumission hiérarchique et renvoie à plus tard la réalisation maintenant subversive des désirs de l'homme. Dieu est une projection de l'homme, la religion est une aliénation de l'homme, inconsciente ou organisée. »

Les bonnes vieilles preuves de l'existence de Dieu, déjà si discutables en elles-mêmes, deviennent bien dérisoires quand la critique moderne se met à démonter le mécanisme humain et social de la religion et à dévoiler les motifs profonds du recours à Dieu.

Aussi bien, n'est-ce pas par hasard, ni par mauvaise volonté, ni par impréparation personnelle, ni par décadence théologique que l'on ne parle plus guère de ces preuves. Ce n'est pas par ces pauvres armes que l'on résiste au soupçon moderne.

Le soupçon doit être rencontré sur son propre terrain, sinon il reste toujours là comme une infection non localisée, comme un ver dans la pomme. De plus, il ne suffit pas de résister au soupçon, il faut aussi en profiter pour progresser vers une plus grande vérité.

3. UNE ABSENCE QUI VÉRIFIE L'EXPÉRIENCE

On accède à Dieu non pas par une démarche extérieure — par preuve, argumentation et conclusion, mais par une démarche intérieure — par expérience et par vérification de cette expérience.

Un homme ne devient pas amoureux d'une femme par réflexion, argumentation et conclusion. Sauf dans les mariages de raison ! On devient amoureux par rencontre et expérience, par une exultation intérieure. Puis, de l'intérieur de cette expérience, on en appelle à la raison pour vérifier, authentifier et aménager cet amour. Pourquoi en est-il ainsi ? Parce que l'homme et la femme constituent une réalité qui précède la raison. Celle-ci ne fonctionne qu'à l'intérieur de celle-là, ou elle déraisonne !

Ainsi en est-il de Dieu. Il n'est pas un objet de connaissance parmi tant d'autres que, par un long cheminement raisonné, on finirait par rejoindre ou manquer. Dieu n'est pas l'Amérique de Christophe Colomb !

Dieu et l'homme constituent une réalité qui précède l'exercice de la raison et l'entoure. Celle-ci ne peut fonctionner qu'à l'intérieur d'une expérience, donnée à différents degrés. Dieu ne peut être connu qu'en étant re-connu : l'homme devient alors croyant en accueillant, vérifiant et aménageant son expérience. Et Dieu ne peut pas être purement et simplement ignoré, il est toujours, à des degrés divers, méconnu, malconnu. C'est la méconnaissance qui entraîne le refus.

Nous voici sur notre chantier. L'expérience de Dieu rencontre aujourd'hui son plus grave ennemi : le soupçon. Un renversement des attitudes a même pu se faire : autrefois, c'est l'athéisme qui passait pour une attitude inquiète et torturée, et la religion était sereine. Aujourd'hui, c'est le croyant qui doute. C'est de l'intérieur que la foi se fait ronger, c'est de l'intérieur également qu'elle doit se défendre et se vérifier.

Dieu est-il, oui ou non, une projection de l'homme ? Si c'est oui, on devrait constater que la révélation chrétienne ne présente aucune rupture entre le désir spontané de l'homme et le rôle qu'elle assigne à Dieu : Dieu correspondrait parfaitement au désir de l'homme puisqu'il en serait la projection !

Par contre, si l'on doit constater que la révélation chrétienne comporte essentiellement une telle rupture, alors c'est non ! Dieu ne peut plus s'attirer le soupçon d'être la projection d'un désir auquel il correspond si peu !

Et telle est bien la thèse que nous voulons établir : entre le désir spontané de l'homme et le Dieu de la révélation chrétienne, il y a *rupture,* double rupture même, nette et fondamentale :

1) rupture au premier degré — le Dieu qui se révèle dans la foi est *tout autre* que celui que sécrète naturellement, spontanément, la religion humaine. Il y a rupture entre religion et foi. Le Dieu de la religion est une projection de l'homme, mais non celui de la foi. Tel est l'objet de la première partie de ce livre.

2.) rupture au deuxième degré — même une fois révélé et cru comme tout autre, le Dieu de la foi demeure insaisissable au désir et aux besoins de l'homme. Le Dieu de la foi reste pour le croyant un Dieu *absent*. Paradoxalement, la meilleure vérification de l'expérience croyante de Dieu, c'est son absence : le désir de l'homme ne projetterait pas un Dieu absent ! La relation Dieu-monde caractérisée par l'absence de Dieu fera l'objet de notre deuxième partie.

Toute expérience humaine a besoin d'être agressée, critiquée, pour se vérifier et se mûrir. Personne n'ayant le privilège d'être totalement dans l'erreur, la critique athée qui soupçonne radicalement l'expérience de Dieu, comporte aussi des avantages. Elle force à sortir de l'ambiguïté quant à Dieu et à la religion. Elle force le christianisme, les Eglises, à ne plus se contenter de gérer le fonds de religion humaine que porte tout homme en lui.

II

RUPTURE
ENTRE RELIGION ET FOI

C'est par une longue analyse que doit être établi le contenu exact de cette rupture entre religion et foi. Pourtant, avant même d'y entrer, et pour éviter de laisser le lecteur partir sur un malentendu, il faut apporter ici quelques précisions de langage.

Le mot « religion » peut être pris au sens objectif du terme : il désigne alors l'ensemble de textes, de rites, d'organisations sociales et de coutumes par lesquels la relation de l'homme avec Dieu se donne présence, célébration et rayonnement dans la vie, la société et l'histoire.

En ce sens objectif, la foi implique la religion. Ce serait tomber dans un romantisme naïf, dans la méconnaissance de l'homme et de la société que d'imaginer et de vouloir promouvoir une foi soi-disant pure, dégagée de toute incarnation dans le symbolique et dans le social. En ce sens objectif, institutionnel de la religion, il n'y a pas de rupture, au contraire : l'institution « religion » est à la foi ce que le corps est à l'âme. Cela implique certes des lourdeurs, des blessures, parfois des contradictions. Il n'empêche qu'ils s'appartiennent l'un à l'autre pour former l'un par l'autre un être réel, présent et actif.

Quand quelqu'un m'invite à prendre un verre, je sais qu'il y aura un verre, mais j'ignore encore ce qu'il y aura dedans ! L'institution objective « religion », c'est le verre. Mais quel en est le contenu subjectif, la relation personnelle avec Dieu vécue par tel membre de cette religion : une eau insipide ou un vin capiteux ? Au sens subjectif, « religion » désigne alors la relation concrète que l'homme vit avec son Dieu, le visage qu'il lui attribue, quels que soient les rites et les textes qu'il utilise, quelle que soit donc la religion objective. Quand on dit de quelqu'un ou d'un groupe qu'il a «beaucoup de religion», qu'il est «de grande religion», on utilise le sens subjectif : ces affirmations sont pertinentes autant pour un bouddhiste que pour un catholique. C'est donc à ce niveau subjectif, personnel, concret, que nous affirmons une rupture radicale entre deux attitudes devant Dieu, deux manières de percevoir Dieu, dans quelque religion (objective) que ce soit, et ces deux attitudes nous les appelons «religion» et «foi». «Religion», parce que c'est essentiellement une relation avec Dieu telle que spontanément l'homme et la société la produisent en projetant sur Dieu ce qui se passe entre les hommes. «Foi», parce que c'est là une expérience de Dieu radicalement transformée par sa révélation, accueillie par l'homme dans une conversion totale. Dans quelque religion (objective) que ce soit, on accède à la foi en se convertissant radicalement de la religion (subjective).

Dernier malentendu à éviter : il ne s'agit pas d'opposer d'un côté les grandes religions humaines comme incapables de conduire à la foi, et de l'autre la religion chrétienne comme définitivement établie dans la foi. La même ambiguïté traverse toutes les religions (objectives), la religion chrétienne n'y fait pas exception. Tous les éléments constitutifs du christianisme : le Notre Père, la Croix, l'Eucharistie, l'Eglise, etc. peuvent être vécus et célébrés authentiquement dans la foi ou, au contraire, dénaturés subrepticement par une régression dans la religion (subjective).

dans tout le développement de ce livre, l'opposition religion-foi empruntera constamment le sens subjectif du terme «religion».

La religion objective, depuis que la critique et le soupçon sont passés par là, ne constitue plus une réalité évidente, solide, automatiquement juste et sainte. Quand on dit «religion», l'homme ne doit plus se signer et se soumettre! Il critique, il distingue entre religion et religion : cette situation actuelle nous donne une oreille neuve pour nous mettre à l'écoute des vieux prophètes qui déjà proclamaient cette rupture.

1. UN PEUPLE ACCULÉ : MICHÉE 6, 1-8

Michée : nom apte à signifier la rupture, la différence totale entre le Dieu qui anime le prophète et celui que projette l'homme en sa religiosité instinctive et spontanée ! « Michée » évoque l'exclamation cultuelle de l'Israël croyant : « Qui est comme le Seigneur ! » Sept siècles avant le Christ, Michée trouve déjà l'expression quasi définitive de la question : Paul n'aura plus qu'à la concrétiser encore et à l'achever par la référence explicite à la Résurrection.

Mais lisons le texte dans la Bible. Nous en reprenons le dialogue essentiel pour plus de clarté.

> 3 Mon peuple, que t'ai-je fait ?
> En quoi t'ai-je fatigué ? Réponds-moi.
> 4 C'est moi qui t'ai fait monter du pays d'Egypte,
> je t'ai libéré de la maison de servitude ;
> je t'ai envoyé comme guides Moïse, Aaron et Myriam.
> 5 Mon peuple, rappelle-toi...
> et tu reconnaîtras les actes de justice du Seigneur.
>
> 6 — Avec quoi me présenter devant le Seigneur, m'incliner devant
> le Dieu de là-haut ?
> Me présenterai-je devant lui avec des holocaustes ?
> Avec des veaux d'un an ?
> 7 Le Seigneur voudra-t-il des milliers de béliers ? des quantités de
> torrents d'huile ?
> Donnerai-je mon premier-né pour prix de ma révolte ?
> Et l'enfant de ma chair pour mon propre péché ?
>
> 8 — On t'a fait savoir, homme, ce qui est bien,
> ce que le Seigneur réclame de toi :
> Rien d'autre que d'agir dans la justice,
> d'aimer avec tendresse
> et de marcher humblement avec ton Dieu.

C'est au v. 8 que le prophète se dresse devant l'*homme* et sa religion tout humaine, au nom du *Seigneur* et de sa révélation qui *rompt* avec cette religion humaine et ouvre au croyant un espace *autre*.

La religion : se faire valoir devant Dieu

Le réquisitoire du prophète (vv. 3ss) a fait se dresser devant le peuple la figure menaçante de la Puissance divine. Le peuple a peur, son péché passé provoque la colère de Dieu, son sort en est menacé : il faut donc prendre une initiative religieuse pour apaiser Dieu, compenser le péché et obtenir à nouveau un comportement favorable de la Puissance suprême.

La situation est grave, la colère de Dieu très profonde : comme des époux dont la dispute remonte tout à coup jusqu'aux fiançailles, Yahvé évoque la sortie d'Egypte. La querelle de Dieu est radicale : il faut donc songer à des moyens adéquats pour l'apaiser. Et les enchères de monter : « Avec quoi me présenter devant Dieu ? Des holocaustes, des veaux d'un an ? Des milliers de béliers ? Mon premier-né, l'enfant de ma chair ? » Faudra-t-il aller jusque-là pour compenser et liquider le passé, apaiser Dieu et obtenir à nouveau de Lui une réaction favorable au bien-être du peuple ?

Les traits fondamentaux de la religion apparaissent déjà clairement dans cette mise en scène du prophète. Nous les représentons d'abord schématiquement :

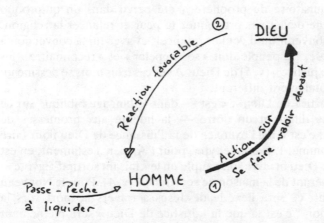

En clair, et pour bien préparer la *rupture* qui va suivre, voici les traits fondamentaux de la religion tels que nous les repérons déjà :

1. L'homme a conscience d'une Puissance divine sur son existence et il organise une relation (religion) avec elle,

2. mais il l'organise spontanément selon le mode de relations humaines entre faible et puissant ;

3. le faible doit donc se faire valoir devant le puissant, agir sur (contre) le puissant pour le faire réagir favorablement. La religion devient ainsi une initiative, une *action* de l'homme sur Dieu en vue

de provoquer une *réaction* de Dieu, si possible favorable et utile à l'homme ;

4. et parce que l'homme est faible et que le Puissant est exigeant, voilà que s'accumule le péché, cette action de l'homme qui provoque la réaction menaçante de Dieu. Avec le péché monte aussi la peur et l'angoissante tentative, jamais achevée, de payer pour le passé, de gonfler la valeur des sacrifices, pour pouvoir un jour, peut-être, satisfaire aux exigences du Puissant. L'homme le verrait alors sourire de satisfaction.

Ainsi, spontanément, agit l'homme. Mais cette religion ne correspond pas du tout aux vues du prophète et de Dieu.

La foi : Dieu fait valoir l'homme

Le réquisitoire du prophète a été perçu dans un quiproquo total : il ne devait pas provoquer la peur et relancer la religion. C'est le souvenir qu'il voulait relancer, et avec lui la conversion à *autre chose*. Le peuple doit « se rappeler » et « reconnaître » les « actes de justice » (v. 5) de Dieu. Avec ces trois mots se dessine un espace totalement différent.

La « Justice de Dieu », c'est — dans le langage biblique sur ce point très différent du nôtre — la fidélité aux promesses de l'alliance, c'est donc l'exercice de la Puissance de Dieu pour faire vivre l'homme. L'exemple type, pour l'Ancien Testament, en est l'Exode : Dieu fit vivre son peuple en le « faisant sortir d'Egypte », en le « libérant de la maison de servitude » (v. 4). Pour le Nouveau Testament, ce sera l'exode de Jésus à travers la mort vers la résurrection : c'est là que la « Justice de Dieu » sera pleinement révélée comme Puissance de vie pour l'homme.

Inaugurée avec l'Exode, la Justice de Dieu ne cesse d'agir : toujours Dieu garde l'initiative d'« actes de justice » dont la liste (vv. 4-5) est interrompue et pourrait être prolongée indéfiniment.

Ce que Dieu attend de l'homme, c'est qu'il accueille, qu'il ne cesse jamais d'accueillir, de « reconnaître », et pour cela qu'il « se rappelle » sans cesse cette relation nouvelle, différente. C'est Dieu qui *agit* le premier, l'homme, lui, *réagit*, accueille et reconnaît. Ce n'est plus l'homme qui se fait valoir devant Dieu. C'est Dieu qui fait valoir l'homme, sans aucune considération pour le passé, le mérite ou le démérite de l'homme. Oui, vraiment, « qui est comme le Seigneur ? »

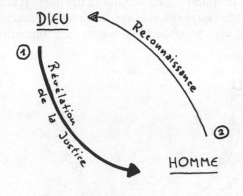

La foi : avec Dieu, l'homme fait valoir l'homme

Tel est l'espace nouveau que la religion humaine ne peut concevoir. C'est ce que dira Paul, quelques siècles plus tard, citant les vieux prophètes : « Ce que l'œil n'a pas vu, ce que l'oreille n'a pas entendu, ce qui n'est pas monté au cœur de l'homme, voilà ce que Dieu a préparé et que par l'Esprit perçoivent ceux qui l'aiment » (cf. 1 Co 2, 9-11).

Pour n'avoir pas saisi cette nouveauté, le peuple a proféré des réflexions dictées par la religion et la peur : « avec quoi m'incline-rai-je devant Jahvé ? » Avec, devant !

Marquant une *rupture* totale, le prophète corrige : « Homme, c'est de tout autre chose qu'il s'agit : ta religion, dans la foi, doit consister à *prolonger* vers les autres ce que tu reçois de Dieu, à ouvrir aux autres le même espace de vie que Dieu t'ouvre. » Agir dans la justice, aimer avec tendresse, marcher humblement avec son Dieu. Agir, être, durer.

Non pas « devant », c'est-à-dire « contre » Dieu, pour triom-pher de ses exigences, pour ôter au Puissant toute raison d'écraser le petit. Mais « avec » Dieu. La « Justice » reçue sera identique-ment une justice confiée : agir dans la justice, c'est agir honnête-ment et plus encore, c'est faire vivre, libérer, aider, épanouir les autres. L'Amour reçu doit être prolongé dans la tendresse pour les autres. Et ne s'inquiétant plus du passé, d'un bilan à faire valoir ou à compenser, l'homme peut se découvrir marcheur, humble marcheur avec Dieu, sachant durer dans cette collaboration. Rejoint d'abord, l'homme ensuite marche-avec, vers un avenir que le prophète ne savait encore dévoiler. Il faudra le Ressuscité, l'humble marcheur-avec les disciples d'Emmaüs, pour révéler le but de cet exode de l'homme et de l'humanité avec Dieu.

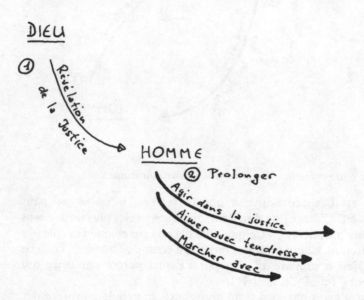

Tout ce qui constitue la religion « objective » : les vérités, les rites, les commandements — croire, célébrer, agir — tout peut se vivre dans un contexte de religion humaine ou se convertir au contraire à la relation nouvelle de la foi : c'est une question d'esprit, de connaissance de Dieu. La foi fait tout redisposer !

La *rupture* établie ainsi par le prophète entre le dieu que projette la religion humaine et celui qui se révèle au croyant est donc complète. Le schéma récapitulatif suivant achève de le montrer concrètement, en même temps qu'il retient dans l'ordre logique les trois temps de l'expérience de la foi :

1. la révélation de Dieu qui fait vivre l'homme qui l'accueille ;

2. l'action de l'homme qui prolonge vers les autres la vie qu'il reçoit de Dieu ;

3. la reconnaissance par laquelle toute cette vie revient vers Dieu pour lui rendre grâce.

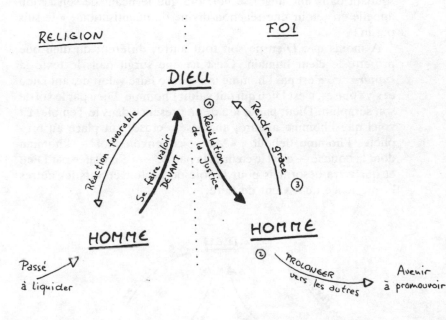

2. Mais il y a les séraphins : Is 6, 1-13

Révélation de Dieu en sa sainteté absolue et formidable, révélation de son mystère, de sa transcendance terrifiante : c'est là par excellence l'expérience religieuse et l'homme ne peut réagir que par la terreur : « Malheur à moi ! Je suis perdu ! »

La religion, telle que nous l'avons rencontrée et analysée, fonctionne comme une entreprise humaine grâce à laquelle l'homme, faible, se fera valoir devant le Puissant. Mais si cette Puissance est perçue dans son ampleur formidable, alors l'entreprise de la religion tourne immédiatement à la faillite : l'homme est perdu, il ne fait pas, il ne fera jamais le poids, lui et toute l'humanité avec lui ne sont que des êtres « impurs », radicalement incapables de satisfaire à la Sainteté de Dieu. Isaïe parle en tant qu'homme, c'est la religion qui s'exprime en lui : action de l'homme, réaction de Dieu. Mais quand devant l'énormité du mystère divin, l'homme ne peut plus voiler derrière le respect de la Loi et l'observance des Rites le vide de son action, alors il perçoit soudain dans une angoisse horrible que le néant de son action appelle en retour une réaction divine de néantisation : « Je suis perdu ! »

A moins que Dieu ne soit tout autre, différent du dieu que projette le cœur humain. C'est ici que surgit dans le texte la *rupture :* ce n'est pas l'homme qui doit se faire valoir devant Dieu et s'y épuiser, c'est Dieu qui fait valoir l'homme. Dieu par le vol de son séraphin. Dieu, par le feu de sa présence dans le Temple. Et voici que l'homme apeuré, angoissé, écrasé, fait place au prophète, l'homme debout : « Me voici, envoie-moi ! », l'homme dont la bouche — c'est le cœur et la parole — a été visitée par Dieu et qui vivra désormais pour la joie de prolonger vers les autres l'expérience qu'il vient de faire.

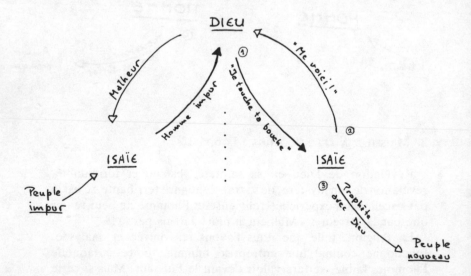

Le peuple tout entier, par son ministère prophétique, devra aussi passer par la prise de conscience terrifiante de son néant (vv. 10-13), de la vanité de son entreprise, pour accéder ensuite à l'espace du renouveau que donne Dieu : «La souche est une semence sainte. »

Sommet et achèvement du prophétisme, Jésus va entrer dans le même combat, mais son agir va se charger, selon son être d'homme Fils de Dieu, d'une double signification : il agit comme Dieu vers l'homme — et il révèle Dieu ; il agit comme homme avec Dieu — et il révèle l'homme.

3. Petit Zachée deviendra grand : Lc 19, 1-10

L'histoire est courte et simple, on n'a retenu que les traits principaux. Mais elle est importante justement dans sa simplicité concrète : elle permet de saisir dans son fonctionnement réel, humain, le cheminement du salut. Car c'est explicitement de salut qu'il s'agit, la finale le dit bien : «Le Fils de l'homme est venu chercher et sauver ce qui était perdu. »

Si l'on veut comprendre ce que l'homme devient quand l'atteint le salut de Jésus, ce que fait concrètement le Sauveur, il n'y a rien de mieux que Zachée. A condition, cependant, de savoir lire ce texte et de ne pas y trouver ce que l'on y apporte ! Telle est bien la lecture courante que l'on fait de cette merveilleuse rencontre : «Pourquoi Zachée est-il sauvé ? — Parce qu'il a rendu l'argent volé.» On pense religieux, donc on lit religieux, et le texte évangélique est mort.

Zachée perdu

Zachée est petit de taille. Zachée est petit de réputation. Responsable des revenus fiscaux d'une région, Zachée doit verser une certaine somme aux occupants romains. Ceux-ci ne veulent pas savoir ce que Zachée prend en plus, pas plus que Zachée ne s'intéresse aux bénéfices de ses propres employés. Collecteur en chef, collaborateur doublement souillé (politiquement et religieusement) par ses contacts suivis avec les païens, Zachée est très mal vu, c'est le moins qu'on puisse dire.

Zachée est petit d'existence. Cela découle forcément de ce qui précède. Il faut s'appuyer quelque part pour exister. Zachée, lui, n'a que l'argent et le pouvoir de sa position bien fragile. Cette petitesse d'existence, le texte la fait sentir dans le comportement de Zachée : ce n'est pas un homme bien dans sa peau, dans sa toge, dans sa position sociale ni dans sa vie, que ce personnage qui fuit la foule pour grimper sur un sycomore ! Dans sa grande discrétion le texte dit simplement mais significativement : « il était riche » et « il cherchait à voir Jésus ». Au cœur de sa détresse, il y a un désir de vivre. Et Zachée est perdu, parce que son désir n'a pas de quoi prendre vraiment son essor. Pour l'instant, il ne s'appuie que sur du vide. Zachée « cherche », Jésus aussi « cherche » (v. 10) : quand ces deux désirs se seront rencontrés, rien d'étonnant qu'il y ait du neuf, du salut !

Zachée rencontré et sauvé

Imaginons une rencontre différente : « Quand Jésus passa à la hauteur du sycomore, il demanda au chef de la synagogue : 'Qui est cet homme, sur cet arbre ?' Et l'autre de répondre, gêné : 'C'est la honte de la ville, passons.' Mais Jésus reprit : 'Je suis venu pour apporter l'ordre et pour que cessent de tels scandales' et, s'adressant à Zachée, Jésus se mit devant tout le peuple à lui faire honte, et à lui faire peur aussi : 'Le jugement est proche pour les gens de ton espèce. Ne crois pas que dans mon Royaume, il y aura place pour des capitalistes de ton genre.' Entendant cela, tous l'approuvaient. Et Jésus, s'éloignant, se retourna une dernière fois : 'Si tu changeais de vie, peut-être n'est-il pas trop tard !' La foule passa, et Zachée, lentement, redescendit de son arbre et rentra chez lui. Seul. »

Ce que Jésus n'a pas fait. Ce pourquoi les gens, les bien-pensants, les religieux se sont mis à murmurer contre Jésus.

Ce que Jésus fait ? Il prend l'initiative, sauveur venu de Dieu, sauveur révélant Dieu. On ne sauve pas un homme en lui interdisant les seules valeurs — même fausses — sur lesquelles il appuie son désir. Il faut au contraire lui donner les vraies. Jésus regarde Zachée et lui demande l'hospitalité : sous ce regard, Zachée se met à grandir, il est reconnu, il existe. « Vite, il descend et l'accueille dans la joie. » Il faut respecter ici la pause du récit. Car c'est ici que Zachée est sauvé. Il est sauvé parce que, sans un regard pour son passé, sans référence à ses mérites, ne puisant que dans son propre désir et dans sa mission — ne puisant qu'en ce Dieu tout autre qu'il révèle — Jésus a rencontré son désir et l'a fait s'épanouir.

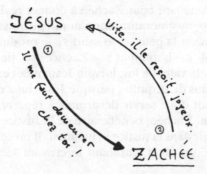

La désapprobation, le « murmure » — comme autrefois Israël dans le désert « murmurait » contre ce Jahvé qui affamait le peuple et le conduisait à la ruine, au lieu de le laisser parmi les bonnes denrées égyptiennes ! La religion proteste : Dieu ne va pas chez qui ne mérite pas sa venue, ou sinon à quoi bon se donner de la peine ?

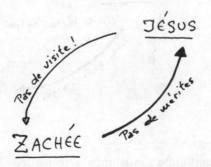

Prophète par excellence, Jésus fait surgir, à tout propos et jusque dans ses réactions les plus simples, l'inattendu, l'inacceptable de la *rupture* : le Dieu de la foi fait « murmurer » les adeptes et les gérants du dieu de la religion.

Ils feront pire encore : ils tueront.

Zachée vivant

Reste maintenant pour Zachée à donner réalité à ce salut reçu. Ce que le discours moralisateur n'aurait pu obtenir — ou sinon par faiblesse devant la peur — le salut va le produire spontanément, logiquement et librement : « Zachée se tient debout, résolument. » Cela vient de lui, lui que Jésus a fait exister. L'argent ne lui servira plus de béquille, puisque Jésus lui a donné des jambes. L'argent peut donc servir désormais à réparer le tort passé et à faire du bien. Zachée, bénéficiaire de la Justice de Dieu en Jésus, se met à « agir dans la justice », lui aussi. Il prolonge vers les autres le don reçu, un fils d'Abraham le croyant vient de naître.

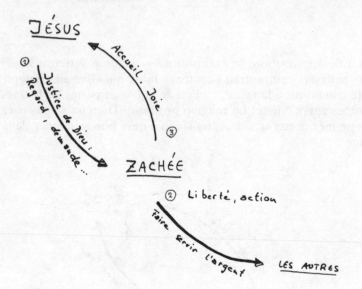

Remarquant enfin l'insistance avec laquelle Luc souligne que tout cela se passe « aujourd'hui » (vv. 5 et 9), comment ne pas entendre Paul, le maître de Luc, nous signifier que cet « aujourd'hui », inauguré avec Jésus, ne cesse plus : que c'est toujours aujourd'hui le temps du salut (2 Co 6, 2), que c'est toujours maintenant que l'Esprit nous appelle à sortir de la religion pour entrer dans l'espace inattendu de la Justice de Dieu.

Zachée, c'est moi. La rencontre avec Jésus, c'est aujourd'hui.

4. Le drame du pouvoir : Mc 2,1-3,6

Marc déroule son Evangile à partir d'une thèse de base, l'essentiel de la proclamation de Jésus, à la fois parole et action, les deux faces inséparables de l'agir prophétique :

> Le temps est accompli ;
> Le Règne de Dieu est tout proche.
> Convertissez-vous
> et croyez à la Bonne Nouvelle. (1, 15.)

On a tellement entendu ces mots que l'on ne s'interroge plus sur leur portée réelle : l'Evangile, une musique de fond pour la bonne vieille religion humaine ! un texte sacré de plus ! En réalité — et c'est l'intérêt dramatique de ce texte — l'opposition entre Jésus et la religion est si totale et si déclarée qu'elle débouche très vite sur l'assassinat.

Et pourtant, cette proclamation ne semble contenir aucune violence : n'est-ce pas le ronron habituel des pieux sermons ? « Convertissez-vous, obéissez à la loi et à la vérité, pratiquez, soyez bons, etc. » Faisons plutôt confiance à l'évangéliste, laissons-nous prendre par son récit, par le suspense. Au terme, en 3, 6, il y a une mise à mort virtuelle, ce n'est pas banal.

Qu'est-ce que donc que ce Règne de Dieu, tout proche ? Il faut se convertir : de quoi à quoi ? On demande de croire : qu'est-ce à dire ? Le temps est enfin plein : de quoi donc ?

Marc met d'abord en place les acteurs : Jésus, les disciples, la foule avec ses misères et ses ferveurs (1, 16-45). Le drame peut se nouer à partir de 2, 1, en cinq actes : c'est cette action qui fournit les réponses à ces questions et révèle la *rupture* mortelle que Jésus déclenche immédiatement entre religion humaine et Règne de Dieu.

Acte I : les hommes de Dieu s'opposent (2, 1-12)

Le drame commence chez Jésus, dans sa maison. Une parole de Jésus amorce l'affaire : « Tes péchés sont remis. » Scandale auprès des scribes, ce qui provoque Jésus à préciser encore sa « prise de pouvoir » : « Le Fils de l'homme a pouvoir de remettre les péchés sur la terre. » Les scribes crient au blasphème : «Dieu seul peut remettre les péchés. »

En fait, pourquoi Jésus et les scribes, tous des hommes de Dieu, s'opposent-ils ? Pour le peuple en tout cas, il n'y a pas de blasphème, aucune parcelle de gloire n'a été volée à Dieu. Au contraire, on exulte, on est hors de soi et on glorifie Dieu pour l'événement jamais vu qui vient de les atteindre. Pourquoi s'opposent-ils donc ? Serait-ce à cause du non-dit, à cause d'un sens de Dieu totalement différent derrière l'invocation du même nom ?

Retenons-en un schéma l'apport de ce premier acte :

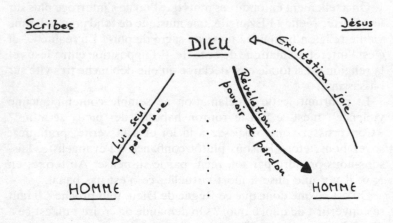

Acte II : pour Dieu ou pour la Loi (2, 15-17)

Par Lévi, Jésus rejoint l'humanité réelle des gens dont le mode de vie, le niveau social, le métier empêchent de respecter strictement la Loi, comme les pharisiens et les scribes. Ce sont des pécheurs. Ce deuxième acte met donc en scène un nouvel acteur : c'est par rapport au pécheur que le non-dit du premier acte va se dévoiler car il est l'homme réel par rapport à qui se dévoile le Dieu réel des hommes de Dieu. Le divorce apparaît maintenant clairement.

D'un côté, c'est Dieu seul qui pardonne, lui seul, mais il ne pardonne pas vraiment : il constate plutôt et déclare. Grâce à la

Loi, observée parfaitement, l'homme se tient en ordre devant Dieu, son ordre actuel compense éventuellement ses manquements passés et Dieu constate et authentifie. Il ne pardonne pas !

A la différence du peuple, hors de lui, à la différence des convives de Jésus qui font la fête, les scribes n'ont aucune raison de se réjouir : la déclaration satisfaite des réviseurs de compte ne provoque pas la joie du comptable sérieux ! C'est normal, cela lui est dû !

De l'autre côté, il y a Jésus, l'homme qui vit le Pouvoir divin de faire vivre et qui prolonge ce pouvoir, cette initiative vivante vers les hommes réels, les pécheurs. On a déjà rencontré cela avec Zachée. Ici, Dieu pardonne vraiment. C'est de Lui que jaillit le par-don, le don parfait, celui de l'être qui reconnaît et fait vivre l'autre, simplement parce qu'Il est ce Pouvoir et qu'Il s'est mis, en Jésus, à vouloir lui donner présence historique, forme concrète d'homme à homme. Cela c'est du nouveau, cela fait exulter, cela glorifie Dieu. Et cela le révèle, tellement différent du dieu de la religion humaine !

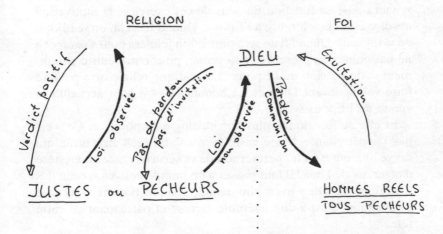

Des dieux différents, mais aussi des hommes différents : des hommes tristes, froids, en ordre, exécutants bien réglés de la Loi, des machines à mérites, ou bien des hommes vivants, rejoints par un amour, entrant dans une communion, célébrant dans un repas le Vivant qui les reconnaît, tous pécheurs, mais découvrant que ce n'est pas sur le terrain de la confrontation que Dieu rencontre l'homme. Ce n'est plus le pouvoir de l'homme contre Dieu, mais le *pouvoir* de *Dieu pour* l'homme.

Acte III : les vieilles outres vont éclater (2, 18-22)

Après la loi, le jeûne. Le jeûne, ou n'importe quel autre acte de pratique religieuse. De nouveau, deux mondes s'opposent. D'un côté, il y a la pratique religieuse qui fonctionne comme un en-soi et par idéologie corporative : quand on est disciple des pharisiens, on jeûne, un point c'est tout. C'est une pratique qui ne se discute pas, qui ne se motive pas, qui donne un statut religieux — devant les hommes, et qui vous met en ordre — devant Dieu. Quand on est catholique, on va à la messe !

Du côté de Jésus, ni en-soi, ni idéologie corporative. Jésus propose une autre référence, la seule valable pour l'homme : les noces où Dieu l'invite, la venue de l'Epoux qui déclenche la fête.

La pratique religieuse n'est plus un absolu : on jeûnera *ou* ne jeûnera pas, en fonction du sens de cet exercice, la motivation absolue étant la référence à l'Epoux. Quand Il est là, on se réjouit en mangeant. Quand Il ne sera plus là, on jeûnera pour s'exercer à ne pas oublier sa présence et sa venue, pour entretenir constamment cette passion de l'Epoux. La pratique religieuse : pour se faire valoir devant Dieu et les hommes — ou pour accueillir la venue de l'Epoux ?

Et elle ne fonctionne plus par idéologie corporative. Ce n'est pas l'appartenance à une caste bien solide, bien structurée qui sauve l'homme, en lui permettant de se sécuriser face au mystère dangereux de Dieu. Il faut passer à un monde nouveau, celui des fiançailles de Dieu avec l'humanité, chaque homme devenant compagnon, c'est-à-dire : témoin, acteur et participant de cette fête.

Il y a un monde nouveau, il y a aussi un vieux monde. Entre les deux, la rupture doit être radicale. Du vin nouveau, celui de Jésus, celui du Règne de Dieu — dans les vieilles outres de la religion humaine ? impossible ! Transformer le vêtement râpé du scribe pour en faire une robe de noces ? impossible ! Il faut changer, il faut se convertir, ce qui veut dire : changer de mentalité, changer d'espace et de perspective.

Acte IV : le sabbat restitué (2, 23-28)

Le drame, cantonné jusqu'ici à la maison de Jésus, se situe maintenant quelque part sur un chemin. C'est qu'au cinquième acte il va conduire Jésus à la synagogue, au cœur de la religion. Monde du permis et du défendu, organisation d'un pouvoir sur l'homme — les pharisiens, maintenant, sont là, en personne ! — la religion se concentre dans le sabbat, sa pièce maîtresse. Jésus en révèle d'abord la perversion. Dieu est « pouvoir-pour » l'homme, le sabbat aussi doit être « pour » l'homme, exercice et célébration de l'accueil du pouvoir de Dieu. Et pourtant, le voici devenu un absolu, l'homme doit se soumettre au sabbat, à tous les interdits de la religion. Seule cette organisation absolue lui permettra de tenir Dieu en respect, en lui donnant de se tenir irréprochable devant Lui. Perversion par méconnaissance.

Restitution du sabbat : le Fils de l'homme, à la différence des pharisiens, exerce comme Dieu le « pouvoir-pour » l'homme. Il l'a affirmé, il a authentifié sa prétention par un signe (2, 10) et plus encore par son comportement humain (2, 17). C'est donc lui et lui seul qui est maître du sabbat : il va prendre le pouvoir contre ceux qui l'exercent jusque-là par la religion, restituer la pratique religieuse (la religion objective) à l'espace du Règne de Dieu, du seul Pouvoir qui soit vraiment « pour » l'homme. Le drame du cinquième acte est prêt.

Acte V : pouvoir contre pouvoir (3, 1-6)

En plein sabbat, en pleine synagogue, le maître du sabbat va sceller l'hostilité mortelle entre la religion humaine et le Règne de Dieu. Jésus, d'un signe, restitue le sabbat, donc toute la religion, à son rôle authentique : être l'accueil célébré de la vie qui vient de Dieu et qui doit atteindre et transformer l'homme dans sa réalité.

Non le rite absolu, intouchable, magique, dressé devant Dieu pour l'emporter sur lui. Mais le rite célébré où s'accueille et s'apprend le Pouvoir de Dieu pour l'homme.

La guérison de l'homme à la main desséchée comporte une double provocation. A l'adresse des chefs et à l'adresse du peuple. Pour les chefs, c'est une prise de pouvoir contre eux, les gérants du système religieux. Non seulement gérants ! L'accord des pharisiens avec les hérodiens, fins politiciens et parfaits pragmatistes, démontre bien qu'ils ne sont pas de purs hommes de Dieu : ils défendent leur pouvoir et leur profit. Marc ira même jusqu'à les mettre dans le même sac que le cruel Hérode (Mc 8, 15).

Quand Marc écrit cet évangile, il ne fait pas de l'histoire ancienne. C'est à l'Eglise qu'il s'adresse et à ses chefs, il les met devant une alternative : alliance avec le pouvoir politique, avec ses méthodes, pour sauvegarder la gérance et le fonctionnement d'un système et maintenir les hommes dans la peur, la soumission et l'observance ? ou alliance avec Dieu pour accueillir et célébrer le Pouvoir de son Règne et déclencher chez les hommes la liberté d'une prise de pouvoir en chaîne pour l'homme ?

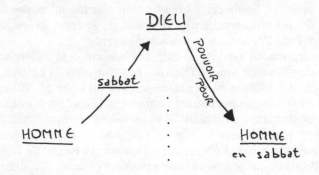

Tel est bien le contenu de la deuxième provocation, à l'adresse des gens. Quand il dit à l'homme de se placer devant tout le monde, quand il pose à tous la question décisive (v. 4), quand il constate qu'ils se taisent, quand Marc note précisément la colère, la déception de Jésus et l'endurcissement de tous les cœurs : de quoi s'agit-il ? Jésus veut que les hommes se mettent à agir comme lui, qu'ils prennent le pouvoir *pour* l'homme, qu'ils se dressent et crient : « Guérissons-le ! »

Jésus sera seul à le guérir. Le peuple n'ose pas bouger, l'institution est la plus forte, les chefs l'emporteront, Jésus mourra. S'il n'y avait pas la Résurrection et l'Esprit, où serait la prise de pouvoir de Jésus, où serait le Règne de Dieu ? Etouffé par la religion.

Accueillir le pouvoir de Dieu, le prendre pour le prolonger dans le monde, et rendre grâce à Dieu de voir son Règne : voilà le sabbat restitué, voilà la religion (objective) rendue au Règne de Dieu.

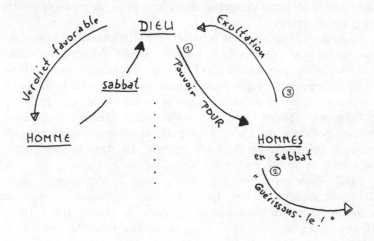

La foi qui se voit

Le Règne de Dieu est vraiment tout proche, il suffit de faire un pas à côté du système religieux, il suffit de « se convertir ». Car il ne s'agit pas de conversion morale, ni de faire pénitence. Il s'agit de changer de mentalité, de changer d'espace et de référence.

« Lève-toi, viens au milieu » : dit Jésus. La synagogue — la religion — laisse l'homme de côté, à l'écart. Au centre, il y a Dieu : c'est sur lui que la religion se soucie d'agir. Jésus, lui, tire l'homme de son coin et le place « au milieu » : la foi se soucie de prolonger vers l'homme qui en a besoin la vie qu'elle reçoit de Dieu. Par le pouvoir de Dieu, célébré et accueilli dans le sabbat, par sa prise de pouvoir au nom de Dieu et pour l'homme concret, Jésus veut guérir l'homme, délier sa main et le rendre capable d'agir à son tour.

Se convertir, c'est accéder à la foi en la Bonne Nouvelle, à la foi en la prise de pouvoir que lance Jésus. Aux deux bouts du drame, deux images, frappantes, se font face. L'endurcissement, le silence, l'immobilité des gens de la synagogue : voilà le refus de la foi en Jésus. Et le jaillissement de la foi, c'est l'expédition intrépide des amis du paralytique pour passer à travers tous les obstacles qui bouchent l'accès à Jésus. L'Evangile précise : « Jésus, voyant leur foi… » Ce n'est pas dans les cœurs, ni d'un

regard spirituel que Jésus voit leur foi. C'est dans le trou du toit,
dans leur démarche concrète, dans leur prise de pouvoir contre
tous les obstacles.

Autour de Jésus, il y a la religion, et l'athéisme qui en découle,
nous le verrons : l'accès à Jésus est encombré. Aller résolument à
Lui, puis aller résolument vers l'homme, prendre le pouvoir pour
l'homme chaque fois que l'occasion se présente, voilà la foi, la vie
où prend forme et présence dans le monde le Règne de Dieu.

Pour avoir libéré Dieu du masque de la religion, pour avoir
révélé le Règne de Dieu, à la place du règne des gérants du
système religieux, Jésus devra mourir. Et dans la synagogue,
personne ne se lèvera.

Mais Jésus ressuscitera et alors, dans la synagogue, on se
dressera, certains feront une conversion stupéfiante : signe et
exemple pour tous les hommes, juifs ou païens (cf. 1 Tm 1,
12-16). Avec un Paul de Tarse, la *rupture* entre le Dieu de la
religion et le Dieu de la révélation, entre religion et foi, sera
systématiquement analysée et affirmée. Il achèvera aussi de
mettre en lumière la nouveauté prophétique définitivement
acquise par la vie et par la mort de Jésus.

III

LE JUIF, LE PAÏEN :
DEUX COMPORTEMENTS RELIGIEUX

Paul l'apôtre a intensément vécu l'expérience de la conversion bouleversante au Dieu de la foi avant de la systématiser pour répondre aux exigences de l'évangélisation. Nous retenons deux données importantes pour notre démarche :

1. la description autobiographique de sa rupture d'avec le monde de la religion — ce qui vient confirmer tout ce qui précède ;

2. l'analyse plus approfondie qu'il fait de la religion, conduit à cela par la présence de deux interlocuteurs, les juifs et les païens — ce qui nous fait avancer d'un pas dans notre parcours.

1. Irréprochable ou saisi : Ph 3,4 - 4,1

En Ga 2, 11-15, Paul avait déjà parlé de la rupture formidable qui avait surgi dans sa vie. D'un système religieux bien ordonné par les hommes pour que puisse subsister l'homme faible devant le Puissant — mieux encore, pour que l'homme cesse d'être faible devant le Puissant — il fallait passer à un autre monde, celui où Dieu rejoint l'homme pour le faire vivre et le faire agir avec lui. Une telle transformation ne saurait être produite par l'homme, comme par une maturation interne. Passage à du nouveau, elle se fait par l'irruption dans la vie d'une

révélation. C'est logiquement par une initiative de Dieu que l'on
accède au monde de ses initiatives — « un beau jour, Dieu révéla
en moi son Fils » (Ga 2, 15).

Le renversement des valeurs

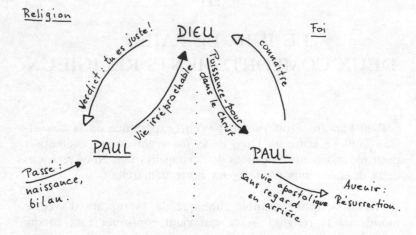

    Cette révélation a un effet foudroyant (Ph 3) : toutes les bonnes
raisons que Paul avait de se faire valoir devant Dieu, toutes les
pierres avec lesquelles il édifiait sa forteresse pour cacher et
défendre sa faiblesse devant Dieu, tous ses avantages, ses valeurs
et ses mérites : tout est vain. Non pas en soi : être irréprochable,
selon une loi que l'on sait très pointilleuse, n'est pas à la portée de
n'importe qui. C'est à cause du Christ que tout cela devient vain.
Le contexte est totalement changé, l'espace est tout autre : les
valeurs en sont bouleversées. Ce qui est nouveau, c'est la révélation de Dieu comme « puissance de résurrection », donc comme
puissance-pour l'homme. C'est ensuite la révélation du Christ
comme celui en qui se révèle cette puissance de résurrection, celui
avec qui et auprès de qui l'homme peut « connaître » la même vie
que Jésus. Dans un monde de relations ainsi transformées, la
valeur n'est plus de *produire* (3, 6) devant Dieu, elle est au
contraire de *connaître* (3, 10), c'est-à-dire d'accueillir la révélation, de s'en laisser revivifier, libérer. La valeur n'est plus le

passé : la dignité de sa naissance, le bilan de mérites réalisé (3, 4-6), elle est l'*avenir,* ce que l'homme peut devenir (3, 12-14 ; 3, 20-4, 1) sous la mouvance de cette révélation.

Un cours qui ne changera plus

Paul souligne à deux reprises le caractère définitif de cette transformation : les valeurs religieuses sont et resteront renversées, « désormais, je tiens tout pour un désavantage » (3, 8), « je ne me flatte point d'avoir déjà saisi, j'oublie le chemin parcouru, je vais droit de l'avant » (3, 13). Ce n'est pas là un discours conventionnel, l'expression d'une modestie qui sied à un homme par ailleurs très conscient de l'ampleur de son œuvre ! Ce sont des paroles théologiques qui expriment sa foi, qui défendent le visage de Dieu, la connaissance du Christ et le sens de l'homme propres à l'espace de la foi : Paul ne retombera plus en religion. Il ne retombera plus dans les comptes, les bilans, les questions angoissantes : fait-il le poids ? suffit-il aux exigences impitoyables de Dieu ? Il n'y retombera pas, à condition de grandir sans cesse dans la connaissance du vrai Dieu.

Chez beaucoup, le christianisme retombe très vite en religion. Certes, on parle toujours de l'Amour de Dieu, mais derrière ce substantif se cache en fait un verbe au passé. Amour de Dieu, oui, car Dieu nous a aimés. Un jour, il s'est rendu compte que l'humanité, s'enfonçant de plus en plus dans le péché, ne parviendrait jamais à se ressaisir, à liquider son passé en payant le prix qui s'impose. Dieu envoya donc son Fils pour que, devenu homme, il paie pour l'humanité. En cela, Dieu nous a aimés.

A aimés — au passé. Tel un financier qui veut bien injecter de nouveaux capitaux dans une entreprise en difficulté mais qui ne le fera qu'une fois, et qui compte bien voir ensuite l'entreprise redresser ses bilans et produire désormais des intérêts, Dieu nous a aimés en Jésus Christ, une fois, pour redresser la situation. C'est l'exception au système religieux, l'exception chrétienne momentanée, car elle reprécipite les hommes dans l'éternelle nécessité de se faire valoir devant Dieu par des bilans bien ficelés. Et voilà le chrétien retombé en religion !

Telle n'est pas la pensée de Paul. Dieu, par révélation de son visage authentique, l'a fait entrer dans un espace nouveau, définitivement. Il n'en sortira plus. L'homme n'a plus à s'angoisser de sa faiblesse devant le Puissant ; la question du passé, des bilans est définitivement révolue dans la force de la connaissance de Dieu. Dieu est et reste *puissance pour* l'homme, Dieu l'a aimé, l'aime et l'aimera.

2. La religion de la Loi : le juif

Dans la proclamation de la nouveauté évangélique, Paul rencontre dans le monde antique deux groupes d'hommes : les juifs et les païens. Deux groupes totalement différents, apparemment ! Mais l'analyse pénétrante que Paul va faire de ces deux comportements — car il s'agit bien de typer un comportement partout répandu, et non de faire de l'antisémitisme, par exemple — nous fournit l'occasion de pénétrer davantage le mécanisme du comportement religieux que l'Evangile vient convertir.

Aux juifs, Paul rend ce témoignage (cf. Rm 10, 1-3) : ce sont de merveilleux religieux. Un zèle pour Dieu incomparable — Paul est bien placé pour le savoir, lui le pharisien irréprochable d'autrefois — mais c'est un zèle qui s'égare parce que privé de la vraie connaissance de Dieu.

Deux éléments caractérisent le juif. En premier lieu, la méconnaissance de Dieu : « Ils méconnaissent la Justice de Dieu, ils refusent donc de se soumettre à elle » (Rm 10, 3). Tenant Dieu pour une Puissance exigeante (la Loi) et menaçante (le Jugement final), ils baignent dans la *méconnaissance* à son sujet. Car Dieu, Paul le sait depuis le Christ, est au contraire « Justice » : Puissance de vie fidèle à son projet pour l'homme. Cette méconnaissance les empêche de « se soumettre » à la Justice de Dieu, de l'accueillir, de se laisser en être les bénéficiaires. Simplement se laisser aimer.

Eux, au contraire, ne peuvent que se défendre, se protéger de ce Dieu qu'ils méconnaissent comme menace : « ils cherchent à établir leur propre justice » (Rm 10, 3) — c'est la deuxième caractéristique du juif. A force d'*œuvres,* dont la valeur est déclarée par la Loi puisqu'elle les exige, le juif s'assure *contre* Dieu. La relation avec Dieu, si religieuse soit-elle quant au zèle, baigne en fait dans le méconnaissance, dans la peur, dans l'hostilité. Il faut battre Dieu au jeu de ses exigences. « Ils cherchent à établir leur propre justice. » Le verbe « chercher » sous-entend l'impossibilité d'y arriver, la tentative de plus en plus angoissée de rassembler un bilan qui résiste au jugement, le désespoir, bientôt, de voir passer sa vie sans qu'on s'en trouve davantage armé pour l'emporter face au Juge qui s'approche.

3. La religion du rite : le païen

Paul décrit le païen au même niveau que le juif, celui de sa connaissance de Dieu. Contradiction à nouveau : le païen n'ignore pas Dieu, l'athéisme n'existe pas encore, mais en lui la connaissance ne s'épanouit pas en reconnaissance. « Ils connaissent Dieu, mais ils ne lui rendent pas gloire » (Rm 1, 21). Qu'est-ce à dire ? Qu'est-ce que « rendre gloire à Dieu » ?

Abraham et Sara (cf. Rm 4, 18 ss) étaient devenus trop vieux, l'un et l'autre — « morts » dit le texte — pour pouvoir encore réaliser leur *désir* de vivre, leur espérance d'une postérité. Face à son impuissance, Abraham, dit Paul, « rendit gloire à Dieu, dans la persuasion que ce qu'il a une fois promis, Dieu est assez *puissant* pour l'accomplir » (Rm 4, 20-21). « Rendre gloire à Dieu » signifie donc pour l'homme reconnaître que la Puissance de Dieu s'exerce en faveur du désir de l'homme, qu'elle ne lui est ni indifférente, ni hostile, mais amie.

Refuser de rendre gloire à Dieu, c'est ne pas accéder à cette connaissance, à cette confiance absolue, et par suite se mettre en quête des moyens religieux pour agir sur la divinité, la faire sortir de son indifférence ou de son hostilité. C'est l'idolâtrie, avec ses rites, sa réduction du mystère de Dieu au rang d'« images » (Rm 1, 23), signifiant la mainmise possible de l'homme sur Dieu pour capter la Puissance au profit de l'homme et de ses désirs. Le païen est donc l'homme que la méconnaissance de Dieu replie sur lui et sur son action pour réaliser son désir. Il le fera dans la vie courante en agissant comme il lui plaît, dans l'injustice et la violence (cf. Rm 1, 18.24-32). Et la religion, avec ses rites, lui fournit (peut-être) un surplus de pouvoir en lui permettant de mettre la puissance divine au service de ses projets. Pourtant, là aussi c'est l'échec : la personne (Rm 1, 24-25), la famille (26-27), la société (28-32), à tous les niveaux c'est l'échec désespérant, c'est finalement la mort qui s'approche partout, qui l'emporte partout, prouvant la vanité de cette saisie de Dieu par le rite. Les païens baignent dans la méconnaissance, dans la peur, dans le désespoir. Pour eux aussi, plus on vieillit, plus la religion paraît vaine.

4. RELIGION DE LA PEUR ET RELIGION DE L'UTILE

Juif et païen sont très différents, et le premier traite le second d'impie. Mais Paul leur trouve un fond commun : la « chair », qui est ennemie de Dieu et ne peut pas se comporter autrement (cf. Rm 8, 7). Juif et païen, au fond, s'égarent dans la même méconnaissance. Etres faibles l'un et l'autre, ils cherchent tous deux à réaliser leur désir fragile par la même entreprise : triompher de Dieu, par des voies différentes certes, mais au fond c'est la même religion, et c'est la même impasse.

Etre « chair », c'est être désir et faiblesse à la fois, une tension délicate à gérer. Que s'ajoute encore la méconnaissance de Dieu comme Puissance hostile à l'homme, et la situation devient explosive. Désir et faiblesse constituent la « chair » en des proportions différentes suivant le caractère, l'entourage et l'histoire personnelle de chaque homme.

Si l'homme est surtout faiblesse, alors la peur l'emporte — cette peur où le croyant ne doit plus retomber, conduit par l'Esprit de la connaissance de Dieu comme Père (cf. Rm 8, 14-17). Et la peur le pousse vers cet unique souci : éviter la condamnation — mais dans le Christ Jésus, plus de condamnation (Rm 8, 1). Et la loi servira de mode d'emploi pour élever un rempart d'œuvres contre Dieu et son jugement. Cet homme est habité d'un zèle exemplaire, fanatique même, mais il n'y a pas d'amour de Dieu en lui, il est encore irréconcilié avec Dieu. Derrière le zèle religieux, la « chair » est toujours là, avec sa méconnaissance et son hostilité. Avec quelle sûreté d'analyse Paul sait dévoiler et démasquer.

Et si l'homme est surtout désir, dynamisme, alors c'est la recherche de pouvoir qui l'emporte. Il rejette la loi comme une entrave insupportable. Pourtant, il n'en est pas moins religieux, mais c'est sur le rite que se centre sa religion. Le rite est censé être un moyen apte à agir sur Dieu, pour le pousser à intervenir en faveur de l'homme et à lui accorder le surcroît de puissance nécessaire souvent à la réalisation de ses désirs. Cette volonté de se servir de Dieu, de le plier au jeu de l'homme, de circonvenir le Puissant, recèle la même méfiance, la même méconnaissance, la même irréconciliation entre l'homme et Dieu. C'est la même « chair ».

En situant son Evangile face à ses deux interlocuteurs, le juif et le païen, Paul ne s'est pas contenté de les percevoir en surface,

dans des apparences totalement différentes. Au contraire, il a
dévoilé la base commune de leurs comportements différents, et
cette analyse l'a conduit à dépasser des polémiques anecdotiques
et à établir une véritable typologie de la religion en son opposition
à la foi. Analysés à cette profondeur, juif et païen deviennent des
types universels, concrétisant face à la foi deux formes de religion.
La religion de la peur : elle tente d'arracher à Dieu un verdict
favorable en triomphant de son exigence hostile par la loi et les
œuvres. La religion de l'utile : par le moyen de rites elle s'efforce
d'obtenir de Dieu une intervention concrète dans les événements.
Ces deux comportements religieux, si différents soient-ils dans
leur théologie et leur morale, ont une racine commune : la
méconnaissance de Dieu.

5. Nul vivant n'est justifié devant Dieu

La faillite de la religion humaine est donc clairement prononcée. Le religieux de la peur, plus il avance dans la vie, plus il
désespère de produire le poids de mérites apte à triompher du
jugement de Dieu. Le religieux de l'utile, plus il avance dans la
vie, plus il désespère de pouvoir produire le rite apte à le protéger
de la mort.

Reprenant une certitude de l'A.T., Paul cite le merveilleux
psaume 142 : « Nul vivant n'est justifié devant Dieu » (Rm 3, 20).
Cette phrase, à elle seule, pour le religieux, c'est un cri de rage,
une cause de désespoir — une cause aussi d'athéisme, nous le
verrons. La religion ne tient pas ses promesses, ne réalise pas son
projet, l'homme ne fait pas le poids contre Dieu.

Par contre, elle peut devenir un cri de joie, un soupir de
soulagement, le chant de la libération du croyant : l'homme ne
doit pas faire le poids, l'homme ne *doit* pas se défendre de Dieu.
Dieu se révèle autre que le désir fragile de l'homme le projette
dans sa peur. En Jésus mort et ressuscité, Dieu se révèle Justice
(Rm 3, 21). Zachée, joyeux, saute de son sycomore et accueille
Jésus.

L'impasse de la religion, pour le « juif » et pour le « païen » de
tous les âges, est le lieu de l'existence et de l'expérience où Dieu
les attend. L'homme est alors devenu capable de percevoir, par
l'Esprit de révélation, une voie nouvelle où « marcher humblement avec son Dieu » (Michée 6, 8). « Que le Dieu de Notre

Seigneur Jésus Christ, le Père à qui appartient la gloire, vous donne un esprit de sagesse qui vous le *révèle* et vous le fasse vraiment *connaître* » (Ep 1, 17).

IV

LA CRITIQUE MODERNE
DE LA RELIGION

Au niveau de la culture antique, de l'Ancien et du Nouveau Testament, où s'est étendue notre recherche jusqu'à maintenant, le débat s'arrête à cette opposition entre religion et foi, entre ces deux mondes de sens et de relations, celui que projette le désir humain en pensant la religion à partir de ce qui l'habite, celui que propose à la conversion de l'homme le désir de Dieu révélé en Jésus Christ. Il n'y a pas encore d'autres termes, l'athéisme moderne n'a pas encore surgi, tout baigne dans la religion.

1. A CHAQUE GÉNÉRATION, L'AMBIGUÏTÉ RELIGIEUSE

Entre la religion et la foi, s'il y a certes rupture, rupture portée par le mouvement prophétique jusqu'à son sommet avec Jésus, puis avec Paul, il y a aussi compénétration, donc facilement confusion et ambiguïté. On l'a senti dans la parole de Paul : « Ils ont le zèle de Dieu, mais pas selon la connaissance. » C'est aussi tout le climat où baigne la polémique entre Jésus et les pharisiens : entre ces hommes qui se veulent tous hommes de Dieu, il est malaisé de percevoir précisément ce qui les oppose si violemment.

Dès le début de notre démarche, il a été fait état de cette compénétration entre foi et religion, et l'on distinguait religion objective et subjective. C'est dans les cœurs — « ce peuple m'honore des lèvres, mais son cœur est loin de moi, vaine est leur religion » (Mc 7, 6) — que s'opposent foi et religion subjective. Au niveau de la religion objective — des prières prononcées, des rites célébrés, des commandements observés — règne l'ambiguïté la plus complète. Paul le constatait déjà pour l'ancien Israël : on peut descendre d'Abraham et ne pas être son enfant quant à la foi, « les enfants de la chair ne sont pas tous enfants de Dieu » (cf. Rm 9, 6-12).

La compénétration existe aussi du fait que même entre religion (subjective) et foi il n'y a pas que rupture dans la réalité. L'exposé théorique de ces deux espaces les oppose et les sépare nécessairement, comme c'est le cas dans nos schémas.

Dans l'homme réel, une rupture doit certes se faire, mais par un passage de l'un à l'autre. Aucun homme — sinon Jésus, parce qu'il est Fils de Dieu et Marie par une grâce spéciale — ne naît croyant, plongé déjà dans l'espace de la foi. Tout homme doit le *devenir,* en faisant l'expérience de l'impasse religieuse, en profitant de cette situation pour s'ouvrir à l'appel de l'Esprit, en s'avançant peu à peu sur les chemins où l'attire la Révélation. C'est un long exode. C'est une conversion jamais acquise, régressions et progressions se succèdent souvent. Et tout cela se passe sous le manteau de la religion objective. Les mêmes rites, les mêmes actes, les mêmes paroles, les mêmes communautés *recèlent* et *occultent* des attitudes parfaitement contradictoires : la religion de la peur ou la foi, la volonté de mainmise sur Dieu ou l'humble service.

Tant que le consentement à la religion demeure, ces contradictions internes ne la font pas éclater. A chaque génération, avant et après le Christ, l'appel prophétique à la foi, la critique de la religion (subjective), se fait entendre, avec plus ou moins d'énergie, mais toujours à l'intérieur de la religion (objective). Pour qu'il y ait éclatement, il faut que surgisse un terme nouveau : l'athéisme et sa critique de la religion. Cet éclatement de la religion, si néfaste et impie qu'il apparaisse à beaucoup, porte aussi en lui une promesse : il provoque irrésistiblement à sortir de l'ambiguïté.

On ne peut plus emballer n'importe quoi dans le saint manteau de la religion.

C'est peut-être la fin de la contrebande. C'est en tout cas la nouveauté et la chance de notre temps : dégager la foi, mettre la religion (objective) au service de la foi.

2. Quand l'homme se trouve...

Le propre de la montée moderne de la culture est d'avoir ouvert à l'homme une plus grande mainmise sur lui-même et sur tout ce qui l'entoure. Ce mouvement est certes loin d'être achevé. Après une première phase où le Progrès justifiait un optimisme absolu touchant la réussite des conquêtes humaines, on a accédé à une conscience beaucoup plus nuancée des résultats obtenus. La possibilité que l'homme acquiert de se gérer lui-même et le monde qui l'entoure se révèle de plus en plus ambiguë : elle est source autant de fierté, de joie, d'enrichissement authentique et de tâches merveilleuses que de honte, de peur, d'incertitude et de servitude. Maintenant que le développement de la vie ne se fait décidément plus par le seul jeu des forces naturelles, maintenant que de spectateur, bénéficiaire ou victime, l'homme devient à tous les niveaux acteur responsable, la question fondamentale de la culture humaine a trait à la gérance et à la qualité de la vie — d'aucuns, plus pessimistes, pensent même la survivance de la vie. Ecologie, débat atomique, sous-développement, démocratie, santé, eugénisme, urbanisme, relations, travail, sens de la vie : autant de chantiers ouverts — autant de chantiers déjà sabotés : pensent certains —, ouverts à l'aventure humaine et l'on peut y mesurer la formidable mainmise de l'homme sur lui-même. On y peut, on y doit prendre conscience qu'une *dimension* de l'homme terriblement nouvelle a surgi. Cette prise de conscience, souvent occultée par la religion et ses affirmations sur le gouvernement du monde par Dieu, fera l'objet d'une réflexion prolongée dans la deuxième partie. Mais elle constitue la toile de fond de la critique de la religion dont nous parlons ici.

Si cette prise en main de la vie a pu ainsi se généraliser, c'est que la culture moderne a développé deux sens nouveaux : le sens de la liberté et le sens scientifique et technique, les deux agissant d'ailleurs l'un sur l'autre.

Par sens de la liberté, il faut entendre ici tout ce mouvement d'analyse et de connaissance qui a su dévoiler les mécanismes secrets de la vie psychique, politique et sociale, et tout le mouvement de conscience et de recherche philosophique qui, sous toutes sortes d'aspects, parfois même aberrants, s'efforce de penser l'homme, son mystère et son désir. A une époque plus récente s'est ajouté à cette recherche plus ancienne le phénomène global de la communication et de la vulgarisation. Il en résulte un acquis de culture, une atmosphère générale, un « sens » de la liberté : il n'est plus évident que le désir de l'homme subisse purement et simplement la contrainte ou l'aliénation comme une fatalité inévitable, comme un donné naturel, sans essayer au moins de les percevoir, de les désigner, de les dénoncer et de s'en libérer. L'analyse des aliénations de l'homme par l'homme, de l'homme par le système (économique, politique, idéologique) a déboulonné les absolus, laissant le champ libre — dangereusement libre — à la montée et à la reconnaissance de son propre désir.

Il n'est pas nécessaire d'avoir lu personnellement Marx, Freud, Sartre ou Marcuse. Ce « sens » de la liberté se trouve chez les jeunes avant même qu'ils sachent seulement que ces personnages ont existé. C'est tout simplement dans l'air, ce n'est plus le fait de cercles avertis, c'est un acquis de culture généralisé.

Le « sens » scientifique et technique, nous le situons aussi sur le même plan. Il y a certes un abîme entre la connaissance, la perception de la réalité chez un physicien ou un biologiste et celle de Monsieur Tout-le-monde. Mais la montée des sciences et des techniques, la généralisation de l'instruction et la vulgarisation constante des découvertes créent, également comme acquis de culture, un « sens » scientifique et technique chez tout le monde, déjà chez les jeunes. Il n'est plus évident que le désir de l'homme doive se limiter sagement, modestement, à l'espace de valeurs, aux possibilités d'action, aux petits projets que la nature lui permet. Il n'est plus évident que l'homme doive attendre des forces supérieures les biens, en particulier ceux de la santé, dont il a besoin. Il est au contraire évident que c'est dans ses connaissances et sa technique que l'homme va puiser le pouvoir nécessaire pour réaliser son désir. Il sait où situer l'efficacité : dans la connaissance, l'organisation, la planification, la technique. Ce « sens » scientifique et technique est vécu et célébré non seulement quand une fusée porte le premier homme sur la lune et que la TV-couleurs nous permet de l'y accompagner, mais déjà et surtout quand l'adolescent enfourche son premier vélomoteur, et le jeune sa première moto.

Le jour où l'homme a su abattre un arbre, il découvrit du même coup que l'arbre n'était au fond qu'un grand morceau de bois.

La mainmise de l'homme sur lui-même et sur le monde, mainmise généralisée sous forme d'un acquis culturel, d'un « sens » commun, contient inévitablement une nouvelle perception de soi-même et du monde. Quoi d'étonnant que la religion en prenne un coup !

3. ... LA RELIGION SE PERD

Sens de la liberté : on a repéré toutes les aliénations qui oppriment l'homme, on n'accepte pas que le désir de l'homme soit soumis, limité, brimé par la référence à une loi, à un système, à un pouvoir, fussent-ils ceux d'une très vénérable et très divine religion.

Sens scientifique et technique : on a découvert, on a appris à utiliser les véritables forces, les vrais moyens d'efficacité, il est donc devenu évident que c'est là que l'homme doit investir pour réaliser son désir et assurer ses réalisations et son bonheur, et non dans les rites, même célébrés avec art et qualité.

Une double autonomie s'est donc ainsi réalisée, qui vient frapper de plein fouet la religion. Nous lui avions assigné deux motivations essentielles, qui peuvent fonctionner séparément ou mêlées : la motivation de la peur et celle de l'utile. La rencontre entre ces attitudes ne peut aboutir qu'à une critique radicale de la religion. Le sens de la liberté refuse avec violence la relation de peur entre l'homme et Dieu, il conduit à la négation de Dieu, dans ce que nous appellerons l'athéisme existentialiste. « Existentialiste » en un sens très large et commun du terme : un athéisme dont le moteur est le sens de la liberté, donc un certain sens de l'existence libre, désaliénée. Un athéisme non pas formulé par les spécialistes, philosophes existentialistes, mais largement répandu chez les jeunes dès l'éveil de leur conscience de soi et de leur désir de liberté.

RELIGION de la PEUR + LOI	←	SENS de la LIBERTÉ	→	ATHEISME EXISTENTIALISTE
RELIGION de l'UTILE + RITES	←	SENS SCIENT. TECHNIQUE	→	ATHEISME PRATIQUE

Le sens technique, lui, rencontre dans la religion la motivation de l'utile. Il perçoit la vanité de miser sur l'utilité, sur l'efficacité technique d'un rite et se tourne — à la différence du premier, sans violence — vers l'atrhéisme pratique.

Rejetée avec violence et ressentiment, ou simplement abandonnée parce que reconnue comme dépassée, hors de propos, la religion se perd dans la mesure même où l'homme se trouve. Evolution nouvelle pourtant, et significative, si l'avenir la confirme vraiment : la remontée de la peur, la remontée du doute quant à notre pouvoir de réussir un avenir heureux pour le monde, provoquent, semble-t-il, un mouvement de reflux vers la religion. D'abord : «Dieu est mort», puis un peu plus tard : «Dieu revient!» Religion délaissée ou retrouvée, qu'importe au fond, et nous ne chanterons pas victoire : ce sont les mêmes mécanismes humains qui jouent dans un sens ou dans l'autre. Quand donc le désir de l'homme rencontrera-t-il le vrai Désir du Dieu véritable, ce Dieu qui, parmi les religieux et les athées, «cherche toujours les vrais adorateurs, en esprit et en vérité»?

V

ESSAI D'UNE TYPOLOGIE ACTUELLE

L'étude de l'effort prophétique pour dégager la foi de la religion, effort qui culmine en saint Paul, nous a déjà fait rencontrer deux types bien caractéristiques : le « païen » et le « juif ». Nous venons d'en découvrir deux autres : l'athée existentialiste et l'athée pratique. Il faut maintenant rassembler et compléter ces indications en essayant d'en tirer une typologie apte à lire la réalité actuelle des comportements possibles à propos de Dieu.

1. Portraits, grille de lecture

Le religieux de la peur

Que devient de nos jours le « juif » de Paul ? C'est le religieux de la peur en général, ou dans une forme plus précise, plus déclarée : l'intégriste.

Ce qui anime profondément sa relation à Dieu, c'est la peur. Il est donc extrêmement important que se dresse entre lui et Dieu la forteresse-Eglise : institution solide, immuable et inamovible ; douée d'une hiérarchie dont le pouvoir se manifeste aisément par les signes de la caste sacrée : habillement, langue, savoir, etc. ; douée d'une Loi (les choses à croire, les choses à faire, surtout à ne pas faire, les rites à célébrer, les prières à prononcer, etc.) elle aussi immuable et intangible. Et pour achever d'exorciser la peur, ce lot commun à tous les hommes dans leur fragilité, il faut que cette Eglise se dresse dans l'intolérance et l'anathème — ce qui achève d'établir en soi la certitude que l'on est juste, que l'on n'a rien à craindre, que l'opération survie devant Dieu est un succès, puisque c'est sur les autres que s'abattra le châtiment divin.

Parmi les religieux de la peur, il y a les doux, les mitigés : ils se plaignent simplement qu'on leur change la religion. Mais ils se récupéreront dans le nouveau style postconciliaire : ce n'est pas dans la seule manière de faire que l'esprit peut changer. Ou ils deviendront tout doucement athées, la peur ayant cédé.

Il y a aussi ceux chez qui la peur est trop profonde : leur ôter cette Eglise-forteresse, c'est les écorcher, les livrer à leur peur sans protection. Ils ne le supporteront pas, ils reconstruiront la forteresse. La réforme conciliaire est une vaste conversion à la foi, profitant des provocations accumulées depuis longtemps par la culture moderne pour dégager la religion chrétienne de la « religion » et la mettre au service de la foi. Elle est conversion à la foi ou elle n'est pas.

A des degrés divers, la valeur commune de ces types reste le moyen de satisfaire aux exigences d'un Dieu implacable, en tout cas dangereux. Le binôme fondamental en est la Loi et la Punition : « Si vous ne priez pas, chez nous aussi il y aura des catastrophes ; si tu ne vas pas à la messe, Dieu ne t'aidera pas à trouver une bonne épouse, etc. » A des degrés divers se vérifie toujours la parole de Paul : ce sont de merveilleux religieux, ils ont un zèle fou de Dieu, mais ils se trompent de Dieu (cf. Rm 10, 2).

Dans cette catégorie, il ne faut pas oublier le religieux politique. Loup déguisé en brebis, il soutient l'intégrisme, ô Dieu ! certes pas pour le besoin de se plier lui-même à la Loi, mais pour le service que rend cette religion en maintenant la société dans l'ordre hiérarchique, et le bon peuple dans la peur et la soumission. C'est par ce biais que s'est scellée si souvent l'alliance contre nature entre la religion chrétienne et le pouvoir, économique ou politique. Ce n'est pas un hasard non plus, mais une profonde logique que partout où l'Eglise postconciliaire fait sa conversion à la foi, elle rompt cette alliance. Il est certes de bonne guerre, pour les religieux politiques, de taxer alors d'impies, d'ennemis de la religion et de gauchistes les acteurs de cette rupture.

Jésus aussi soulevait le bon peuple (cf. Lc 23, 5) !

L'athée existentialiste

C'est la réaction à la religion de la peur, réaction violente le plus souvent parce que l'homme s'y libère d'une aliénation et qu'une telle libération ne se fait jamais sans peine ni ressentiment. Les formes en sont très diverses : mutation douloureuse et angoissante durant la grande adolescence ou au début de l'âge adulte, prise de conscience facile et évidente dès l'adolescence ou plus tard, ou encore révolte brutale et subite provoquée par un événement et dévoilant une saturation très ancienne.

C'est le refus de livrer le désir de l'homme à une Puissance extérieure qui l'aliène par la loi (ce qu'il faut faire et ne pas faire pour être en ordre) et par la peur (ce qui arrive si l'on n'est pas en ordre). Cette Puissance, c'est autant Dieu lui-même que l'appareil religieux qui gère ce cycle de la peur et y maintient l'homme : loi, péché, culpabilité, peur, rite compensatoire, loi, péché, etc. C'est le refus aussi d'enfermer l'existence de l'homme dans un binôme : loi-punition, ou péché-grâce, de la dénaturer en une espèce de marche angoissée à travers des champs minés.

C'est la volonté de l'ouvrir au contraire à toutes les valeurs humaines, à l'aventure, à l'expérimentation, au devenir personnel, au doute, à la recherche, à la responsabilité, aux données réelles de la vie, à la liberté.

C'est le refus, enfin, de laisser l'homme s'aliéner à un dieu hypothétique, à des tâches religieuses qui le distraient de sa véritable tâche d'homme, à une croyance religieuse qui le détourne de son engagement et de sa responsabilité pour l'avenir du monde. « Ou bien Dieu existe, et l'homme n'est rien ; ou bien l'homme existe... » : Sartre a formulé ainsi le dilemme violent où la religion de la peur pousse inévitablement tout homme devenant conscient de la valeur fondamentale, son existence.

Le religieux de l'utile

Héritier du « païen » de Paul, le religieux de l'utile tient le rite en haute estime ; c'est qu'il lui attache le pouvoir de se concilier Dieu et de lui arracher une aide utile : trouver un logement, du travail, la santé, etc. Dieu est fondamentalement perçu sous l'angle de l'utile.

Cette religion fonctionne sur la base d'un contrat tout simple, le troc, l'échange, soutenu parfois par une croyance en la valeur magique du rite. Les formes en sont aussi très diverses. Certains cultivent la religion de l'utile de manière régulière : ils « pratiquent », ils entretiennent de bonnes relations, on ne sait jamais quand le malheur peut surgir, il ne faut pas se trouver en manque, en retard de crédit. D'autres y reviennent sporadiquement, surtout quand la détresse d'une maladie, d'un échec fait réapparaître la fragilité de l'homme et, avec elle, la folle espérance de trouver le rite palliateur.

Mais l'utile n'est pas seulement physique ou économique : santé, travail, succès. De nos jours, il est perçu aussi dans des dimensions toutes nouvelles, révélées par les sciences sociales ou psychiatriques. Le rite est nécessaire pour que se constitue la personnalité sociale d'une communauté, pour que les individus puissent s'approprier le mystère angoissant des grandes étapes de la vie : naissance, initiation, mariage, mort.

Eviter la névrose, personnelle ou collective, c'est aussi de l'utile.

Si l'on vise à son efficacité interne, psychologique, n'importe quel rite convient, pourvu qu'il soit bien fait. Car il n'est pas question d'imaginer un rite habité par la révélation et par la réponse de l'homme croyant, donc un sacrement de la foi.

Si l'on recherche, au contraire, son efficacité sur Dieu, pour en obtenir protection, aide efficace, alors on sera plutôt intégriste, mais sur ce point uniquement. Il est très curieux de voir l'ambiguïté totale du soutien donné aux intégristes postconciliaires par certains milieux hautement intellectuels et libéraux : l'exigence liturgique est bien la seule qu'ils acceptent, et ils veulent une Eglise strictement rituelle. Mais cette complicité partielle se comprend : plus le rite s'exprime en des signes étrangers à notre culture actuelle, en une langue inconnue, plus le prêtre se comporte en druide, en personnage sacral, plus il est évident que cette action, mystérieuse, doit avoir aussi une efficacité mystérieuse. Car ce religieux n'est pas croyant : pour lui, l'homme n'a pas accès à Dieu dans l'ordinaire. L'homme n'a pas accès du tout à Dieu, sinon par une espèce de violence magique, par un rite protecteur, et par la médiation d'un spécialiste du divin.

L'athée pratique

Par glissement continu dès l'adolescence ou plus tard, ou bien par révision déchirante après un échec particulièrement frappant, la pratique religieuse est abandonnée : la recherche de l'utile demeure, certes, mais elle s'oriente vers les véritables moyens d'efficacité. La dimension religieuse est encore tolérée chez d'autres dans la mesure seulement où elle se concrétise dans le dévouement et une efficacité concrète. La pratique religieuse est totalement délaissée comme inutile : elle provient de l'ignorance du fontionnement de la réalité, d'une volonté naïve de sortir de la condition humaine faite à la fois de pouvoir et d'impuissance — autant de motivations d'ailleurs dont les cadres religieux savent se servir, à leurs yeux, pour exercer un métier qui rapporte. Depuis le petit cierge à un franc pièce jusqu'à la grande opération financière d'un chef de secte qui promet la guérison, les exemples foisonnent qui justifient cette critique de la religion et malheureusement bloquent ces gens à ce niveau stérile de la réaction.

Le malcroyant

Ces types que nous essayons de décrire se retrouvent dans la réalité de manière très mêlée. Religion de la peur et religion de l'utile ne s'excluent pas : on peut mélanger les deux, passer de l'un à l'autre. Religion et athéisme peuvent aussi ne pas s'exclure purement et simplement : se mêlent alors des restes de pratique religieuse, des bribes de critique et de refus et même des éléments de foi. Un vrai cocktail ! En cette époque de critique, de soupçon, d'incertitude et de violence verbale d'une opinion à l'autre, le malcroyant est probablement le type le plus répandu. Sa caractéristique principale : le malaise. Sa position : entre deux chaises. Il prie encore, mais juste la prière officielle, la présence à la messe dominicale, car il a encore peur du péché mortel. Il reste dans l'Eglise, mais juste le minimum qu'il faut pour ne pas couper les ponts, on ne sait jamais. Il se dit croyant, mais il désigne par là des bribes de connaissance transmises autrefois et qui communient fort peu avec son existence réelle. Il peut même être prêtre, mais il s'accroche simplement à un rôle, à un langage qu'il n'habite pas personnellement.

A quelque niveau qu'il soit, le malcroyant peut glisser tout doucement vers l'athéisme : il brade alors de plus en plus d'éléments de la religion chrétienne jusqu'à ce que l'évidence de son athéisme l'emporte.

Ou bien, affolé soudain par cet effritement, en lui et autour de lui, il régresse avec violence — à défaut de perception et d'expérience personnelle, la violence surtout contre les autres peut pour un temps fournir des certitudes ! — et renouvelle en lui et autour de lui la religion de la peur.

C'est à la fois la chance et le drame de notre âge : l'environnement est tel que le religieux, à un moment ou à un autre, se trouve inévitablement extrait de l'évidence paisible de la religion. Il se retrouve « malcroyant ».

La malcroyance est un état instable et transitoire. Il faut faire de la malcroyance un chemin vers la foi.

Le croyant

C'est le dernier portrait de notre galerie. Pourtant ne faisons pas du croyant un personnage définitivement installé dans la foi. En fait l'homme réel circule toujours entre les trois pôles de la religion, de l'athéisme et de la foi. La conversion n'est pas acquise une fois pour toutes, même s'il est vrai qu'à progresser dans la vérité, une expérience, et donc une certitude, se constitue pierre par pierre en une demeure où l'on habite et où l'on peut recevoir. Sereinement.

En elle-même aussi, la foi n'est pas un état pétrifié. Elle connaît l'assurance, mais non la sécurité. Elle est une circulation, un mouvement, un investissement de la vie avec son mystère et sa réalité. Elle est source inépuisable et aventure infinie. Elle est centre et horizon, mais aussi marche en équilibre instable. Elle est force et certitude, mais aussi tendresse et vulnérabilité. Elle est expérience vivante. De cette vie, de cette circulation de vie que le parcours biblique, avec le schéma constamment repris, a déjà assez décrite. Pour le croyant, pas d'autre portrait pour l'instant, sinon le visage de Zachée, descendant de son sycomore.

2. DANS LES FLUX ET REFLUX DE LA VIE

Ces six types constituent ensemble une grille de lecture qui sert à mieux déchiffrer son propre comportement et celui des autres. Pour réagir, il faut comprendre ce qui se passe. Personne ne peut se vanter de réaliser pleinement et uniquement un de ces portraits. La réalité personnelle est toujours plus mouvante, plus mêlée. Et surtout, l'histoire de nos vies nous fait constamment circuler entre ces trois pôles que sont la religion, l'athéisme et la foi.

Comme une chaîne de montage ?

Dans la manière de se représenter le modèle idéal d'un fidèle de l'Eglise, il est une certaine naïveté qui n'est pas sans danger. Ce modèle tient plus de la chaîne de montage que de l'aventure de l'existence humaine. Une chaîne de montage, ce sont des unités — un frigo, une voiture — toutes parfaitement identiques, qui, le long d'un parcours identique et parfaitement organisé, un rail, suivent un processus qui les amène à la construction achevée.

Avec le baptême, où sont infusées les vertus théologales — foi, espérance et charité — est constituée la structure chrétienne de base. Durant l'enfance, cette structure prête à fonctionner est programmée. C'est le catéchisme qui fournit les vérités à croire, les commandements à respecter, les rites religieux à accomplir. Un « bagage » pour la vie. Comme le terme le dit bien, un bagage, c'est une valise contenant désormais tous les éléments nécessaires pour réaliser et réussir sa vie religieuse.

Le fidèle ainsi programmé va, en principe, fonctionner jusqu'à la mort, dans le cadre d'une paroisse, donc entouré de gens qui, eux aussi, et en principe, fonctionnent tous de la même manière. Il y aura encore un poste important à franchir : le mariage religieux. Plus tard enfin, l'enterrement religieux. Le tout, selon le plan de fabrication bien établi, comme par un contrat avec Dieu, donne droit, en principe, à la vie éternelle.

Ce faux modèle idéal n'est pas sans danger. Il y a l'étonnement, la peur et bientôt l'abandon ou le durcissement de ceux qui découvrent tout à coup qu'ils ne « fonctionnent » pas ainsi. Il y a aussi la réaction brutale de ceux qui veulent imposer à tout prix un tel « fonctionnement », qui exigent une pastorale qui soit dans cette ligne. Qu'on pense à l'étonnement scandalisé de ceux qui voient que le catéchisme des enfants ne produit pas une majorité de jeunes sages et pratiquants, et qui accusent dès lors cette catéchèse de ne plus donner aux enfants le « bagage » nécessaire pour affronter victorieusement toutes les étapes de leur vie.

En réalité, l'homme n'est pas accroché à un circuit de montage. Il est entraîné dans une existence et c'est au rythme de cette existence qu'il se constitue petit à petit. Il est possible de brosser les grandes étapes de ce cheminement.

L'enfance : spontanément religieuse

L'enfant prolonge jusqu'à Dieu les motivations profondes qui animent sa relation avec ses parents : il «voit» Dieu dans la ligne du regard qu'il porte sur ses parents. Parce qu'il est totalement faiblesse et besoin, l'enfant produit inévitablement une double relation à ses parents : la relation de dépendance, et la relation d'utilisation.

La dépendance produit la peur d'être abandonné, et donc une situation de devoir-plaire. Par son bon comportement, l'enfant doit mériter des parents qu'ils ne le laissent pas dans l'abandon qui serait sa perte.

Mais d'autre part, les parents sont aussi les grands, les tout-puissants : ils arrangent tout ; l'enfant peut leur faire une confiance absolue, il peut les «utiliser» totalement.

Certes, ces deux relations produites par l'enfant vont être équilibrées par celles produites par les parents : la dépendance, la peur et le devoir-plaire seront transformés par la sécurité dans la confiance de l'amour ; et l'utilisation se muera petit à petit en un sens plus lucide de la réalité et de sa propre responsabilité.

Equilibrées, elles n'en existent pas moins et fondent ainsi chez l'enfant une première saisie de Dieu spontanément religieuse. Dieu est un être merveilleusement vivant dont je dépends : si je ne lui plaisais plus, il m'abandonnerait et ce serait terrible. Dans cette perspective, on connaît bien l'attitude moralisante et perfectionniste des enfants à leur âge d'or autour des dix ans. Dieu est aussi un être merveilleusement puissant et bienfaisant : il nous veut du bien, il arrange nos vies, il suffit de le lui demander. Prières d'enfant !

Religion de la peur et religion de l'utile : ces deux mouvements sont spontanément présents chez l'enfant. Ils peuvent certes être équilibrés par la sécurité de l'amour d'une part, par la conscience croissante de sa responsabilité d'autre part — et ces éléments seront précieux pour l'évolution de la personne tant sur le plan psychologique que religieux — mais l'enfance ne provoque pas encore à sortir de cette ambiguïté. La meilleure éducation, la meilleure formation du monde ne peut faire de

l'enfant un fidèle prêt à « fonctionner », équipé de son « bagage »
pour la vie, parce que l'enfant n'a pas encore commencé à exister
vraiment.

Il reçoit de son enfance des éléments, certes fondamentaux,
pour son développement humain et religieux mais tout baigne
encore dans une ambiguïté également fondamentale que seule la
confrontation personnelle avec l'existence pourra résoudre, dans
un sens ou dans l'autre.

La jeunesse heureusement critique

Critique, au sens de crise. Avec l'adolescence commence l'affrontement avec soi-même comme personne, liberté, projet et
responsabilité. Il y a la profession : apprentissage ou études, choix
d'un avenir, projet d'une vie. Il y a les relations, l'éveil de la
sexualité, l'entrée dans la relation aux autres constitutive de
soi-même.

Dans la ligne de la profession, l'adolescent, puis le jeune,
rencontre la réalité, dure et solide : il apprend à la connaître avec
ses mécanismes réels, avec ses exigences d'efficacité, de perfor-
mance. C'est la première provocation à la critique : dans la
mesure où sa religion d'enfance véhiculait une confiance naïve en
un Dieu tout-puissant qui en réponse à ses prières arrange ses
problèmes, le jeune va faire de plus en plus l'expérience qu'il n'en
est rien ; il découvre de plus en plus et apprend à maîtriser les vrais
moyens pour prendre sa place dans ce monde de l'efficacité et du
travail. La religion, dans sa motivation d'utilité, est désormais en
crise. Athéisme pratique.

Dans les relations et la sexualité, l'adolescent, puis le jeune,
rencontre la liberté et la peur. La religion de son enfance
comporte une forte connotation morale, nous l'avons vu. Et au
sujet de la sexualité, le langage religieux est clair : son exercice en
est interdit, est péché, avant que soit réalisé — et ce n'est pas pour
bientôt — le statut conjugal qui l'autorise.

L'éveil à la sexualité, et toute vie sexuelle, comporte déjà un
aspect de peur, d'inquiétude, à cause de la profondeur, de la
globalité qui lui sont propres. Si à cette situation délicate s'ajoute
la peur de l'interdit religieux global, la situation est, là aussi,
bientôt mûre pour que sur ce plan de la peur, de la Loi, la religion
entre en crise. Athéisme existentialiste.

Cette crise est heureuse : elle libère de l'ambiguïté de l'enfance. Par des chemins divers, plus ou moins accidentés, elle conduit le jeune à prendre une position personnelle. Son enfance — et l'on en verra se décanter les éléments prépondérants, heureux ou malheureux — son entourage — et l'on en voit apparaître la capacité d'exister et d'accompagner — et sa propre dynamique vont marquer le jeune dans sa crise. Il va tout rejeter dans l'athéisme, en se libérant de la Loi avec violence dans l'athéisme existentialiste, en abandonnant le rite avec mépris dans l'athéisme pratique. Ou bien il va régresser et se bloquer dans la religion, devenant dans le pire des cas un faible et un inquiet, et dans le fond de l'être se préparent déjà les révoltes, les déblocages, et les ressentiments terribles de la quarantaine. Mieux vaut tard que jamais.

Ou encore, il devient un malcroyant, un tiraillé ou un ni chaud ni froid, selon que son entourage lui permet de se décanter et l'y aide ou au contraire le maintient simplement dans l'ordre moyen d'une pratique religieuse socialement acceptable.

Ou bien enfin, il se convertit à la foi. Il abandonne le faux-dieu du devoir-plaire et de la peur, le dieu facile et utile du rite efficace ; il accède — mais ce n'est que le premier d'une longue série d'exodes — il accède au vrai Dieu, Celui qui existe *pour* que j'existe, Celui qui donne Sens global à ma vie pour que je la remplisse de sens pour moi et pour les autres, Celui qui confie ce Sens à ma responsabilité, ma recherche, mes doutes et mes projets, Celui qui me livre à la vie et aux autres pour faire éclater qui je suis — pour notre gloire, celle de Dieu et de l'homme.

Il faut commencer d'exister pour devenir croyant.

L'adulte : le choc des dissociations

La vie de l'adulte, l'étape la plus longue et la plus mouvementée, est certes celle qui ressemble le moins à un rail bien droit et bien prévu. Les événements de la vie, les rencontres avec d'autres personnes, les engagements pris ou refusés : c'est un véritable complot autour de l'homme pour le faire aboutir soudain là où il n'avait pas du tout prévu d'aller.

Tout au long de cette confrontation — ce n'est pas pour rien que le troisième paramètre de la foi, c'est, selon le prophète, « marcher humblement, donc durer, avec son Dieu » — l'adulte saura-t-il entretenir son expérience croyante : ne jamais rien laisser traîner, ne pas se remplir comme une poubelle, refaire sans cesse l'unité de sa vie sous la Révélation de Dieu ? L'adulte trouvera-t-il dans son entourage, dans sa communauté, des lieux pour faire cette « humble marche » avec Dieu et avec ses frères et sœurs ?

J'appelle « dissociation » tout ce qui vient rompre à un moment donné le bel équilibre que l'adulte s'est donné. Il y a d'abord les dissociations morales : un beau jour, on se trouve coincé dans le désordre, la marginalité, le péché. On fait alors l'expérience de sa faiblesse, de la vie qui entraîne dans des situations que l'on n'aime pas ; on a peur, on ne se sent plus « en ordre ». Ce sont là des situations de crise : elles provoquent à de nouvelles synthèses, en mieux ou en pire.

En voici un qui deviendra athée, et par un réflexe paradoxalement religieux : jusqu'à maintenant, j'étais en ordre, je pouvais donc me présenter devant Dieu avec ces mérites — maintenant que la vie m'a mis dans le désordre (exemple : un divorce, un amour « irrégulier », ou simplement des doutes), je cesse de fréquenter Dieu, j'abandonne toute pratique, je ne suis plus digne.

Tel autre, au contraire, va régresser dans la religion : il faut que je compense, par toutes sortes de sacrifices, ce désordre qui a surgi dans ma vie. Et le voilà devenu dur pour lui, et pour les autres.

Au-delà de ces réactions toutes naturelles, selon « la chair et le sang », il peut y avoir l'écoute soudaine de l'enseignement du Père. La crise en est l'occasion, la parole de Dieu — tel psaume, tel texte évangélique — en est l'instrument, tel frère ou telle communauté en est le lieu, mais l'Esprit en est l'acteur : cet homme va faire l'expérience de la foi. Pendant des années, alors qu'il était « en ordre », il affirmait sa foi en Dieu *sauveur*. Maintenant que le voilà coincé, pas en ordre, pécheur, il peut en vivre, faire la bouleversante découverte de l'Amour de Dieu.

Savoir faire du désordre inévitable l'occasion d'abandonner enfin l'ordre devant Dieu : « Nul vivant n'est justifié devant toi ! » Seul le pécheur, pas le pécheur pour rire, celui qui a des distractions dans ses prières, non, l'homme coincé : lui seul peut faire l'expérience du Dieu Sauveur, puis reprendre son existence désormais coincée pour y mettre, en elle et pas ailleurs, l'agir en justice, l'aimer de tendresse et l'humble durer, avec l'action de grâce. « Dieu justifie : qui condamnera ? » (Rm 8, 33-34).

Il y a aussi les dissociations physiques : l'échec professionnel, le chagrin d'amour, la maladie, l'infirmité. Et l'on voit alors des athées pratiques redevenir de fervents religieux : si pourtant le rite pouvait être efficace, si un gros complot de prières pouvait arracher à Dieu l'attention, la pitié et enfin l'intervention nécessaires ? Le plus souvent cette régression religieuse est momentanée : elle cessera dès que les choses se seront arrangées, ou elle tournera, après l'échec définitif, en révolte (religieuse) ou en athéisme définitivement convaincu.

Là aussi, au-delà de la « chair et du sang », l'enseignement du Père, l'occasion d'accéder, chaque fois davantage, à la confiance absolue : « si vous ne voyez signes et prodiges, vous ne croirez donc jamais ! » (Jn 4, 48). L'occasion de progresser vers le Dieu de la Résurrection, l'occasion d'apprendre la mort, non : la vie à travers la mort, la Présence par-delà l'Absence, Celui qui vient alors qu'il me laisse à moi-même. Devenir croyant !

Il y a enfin les dissociations du monde autour de moi. Plus on avance dans la vie, plus le spectacle du mal, de l'échec et de la souffrance nous entoure et nous accable. C'est aussi une provocation, une mise en crise. Chez certains, ce sera le repli religieux. « Le monde et la vie me font de plus en plus peur, je me réfugie dans un petit monde clos de pratiques, de devoirs et de pensées pieuses, je me tiens en ordre devant Dieu, Lui saura bien reconnaître les siens et les protéger du malheur. » Quelle perte de qualité !

D'autres, du style : « Si Dieu existait, il ne pourrait permettre un tel monde », basculent soudain dans l'athéisme. Egoïste : « je m'occupe de mes affaires ! » Ou altruiste : « Ce n'est pas parce que Dieu n'existe pas que les autres cessent d'être intéressants et de mériter pleinement mon engagement. » Mais quelle perte de sens et d'espérance !

On peut aussi grandir dans la foi, en développer particulièrement l'agir avec Dieu, se donner l'engagement socio-politique, l'agir en justice et pour la justice : médiation active entre le Sens perçu et reçu de Dieu et le monde nouveau où l'espérance nous attire.

L'approche de la fin

La plus grande tristesse du monde religieux, le plus grand discrédit qu'il s'afflige lui-même, c'est son langage sur la mort :

« Vous savez, Bernard a un cancer, au dernier degré !
— Oh, le pauvre ! »

Le religieux sait la vanité de son entreprise : tous les rites et toutes les prières du monde ne le sauveront pas de la mort. Et il y a toujours un moment où, « le pauvre ! », il faut le reconnaître. Et s'il est religieux de la Loi, il sait aussi, et c'est une source supplémentaire d'angoisse, que plus il vieillit, plus il accumule les démérites, moins il se voit apte à faire le poids devant Dieu.

Merveilleux troisième âge, important troisième âge — mais il y a troisième âge à tout âge ! — à condition que l'on ne s'installe pas dans le regret désespéré de la vie passée (athéisme), que l'on ne se lance pas dans un sprint final pour tenter encore de rééquilibrer son bilan devant Dieu (religion), mais que, si dur que cela soit, on avance conscient de la grandeur de cette dernière étape, de cette dernière « humble marche avec Lui », vers la Rencontre.

Descendre enfin définitivement du sycomore !

VI

L'EXPÉRIENCE DE LA FOI

Etre croyant : qu'est-ce donc finalement ? Est-il possible de le dire ? Peut-on raconter une ville ? Oui, en décrivant au moins ses principales avenues, ses grands centres de rencontre, ses manifestations vitales. Juste assez pour donner le goût d'y aller et de faire ses propres découvertes. Alors, de même, essayons de raconter la foi.

1. Première fonction : accueillir la révélation de Dieu

Dans quelque religion que ce soit, l'homme devient et reste croyant dans la mesure où il se perçoit aimé de Dieu, bénéficiaire de la vie de Dieu, rejoint par le désir de Dieu, vivifié par la puissance de Dieu, et dans la mesure où il cesse de percevoir Dieu comme une puissance menaçante, à apaiser, ou indifférente, à émouvoir.

Plus que le Credo officiel

En christianisme, cette révélation s'est faite en la résurrection de Jésus : c'est là que le vrai, l'unique visage de Dieu, celui de toujours, s'est pleinement révélé comme Puissance-pour l'homme. Ou plutôt : c'est là que la Révélation a commencé, car elle ne s'achève que lorsqu'elle m'a atteint moi. «Ma vie d'homme, je la vis dans la foi au Fils de Dieu qui m'a aimé et s'est livré pour Moi» (Ga 2, 20). Il ne s'agit pas seulement de croire que Dieu a ressuscité Jésus, il s'agit de se croire bénéficiaire de cette même puissance de vie.

Trop peu d'hommes franchissent ce pas entre la profession de foi officielle, et l'acte de foi personnel. A moins de voir sa propre vie s'inscrire dans cette expérience de Dieu, on ne devient pas fils d'Abraham le croyant : « Il a cru au Dieu qui fait vivre les morts et appelle à l'existence ce qui n'existe pas » (Rm 4, 17).

Il y a donc deux contenus essentiels dans la foi d'Abraham :

1. « le Dieu qui fait vivre les morts », donc Résurrection.

2. « le Dieu qui appelle à l'existence ce qui n'existe pas », donc Création.

Création et Résurrection : voilà un mini-credo bien complet. Il n'y a plus qu'à le mettre en musique. Court, il ne fatiguera pas les assemblées !

Mais cela ne joue pas ! Paul parle de Résurrection d'abord, de Création ensuite — ce qui n'est pas logique dans un credo officiel, dans une formule publique, mais cela correspond très bien à l'expression de la foi personnelle d'Abraham. C'est lui et sa femme, trop vieux pour procréer, qui sont les « morts » que Dieu va faire vivre. Et c'est le fils de la promesse, Isaac, le « non-existant » que Dieu va appeler à l'existence. On a donc accédé à un acte personnel de foi, car c'est dans sa propre vie, dans sa propre expérience — « en considérant son corps déjà atteint par la mort », dit Paul au sujet d'Abraham (Rm 4, 19) — qu'est perçue et accueillie la Révélation du Dieu-Puissance de vie pour l'homme.

La fin d'une aliénation

On n'est et ne reste croyant qu'en maintenant constamment vivante cette rencontre entre Dieu et soi-même sous le soleil de la Révélation au rythme des événements de vie ou de mort. Avec l'expérience de la foi, une des motivations profondes de la religion a disparu : la peur. « De peur, il n'y en a pas dans l'amour, le parfait amour jette dehors la peur, car la peur implique une menace de châtiment, et celui qui a peur n'est pas accompli dans l'amour » (1 Jn 4, 18).

Avec la peur tombe aussi l'aliénation qu'elle provoque chez l'homme en liant son existence à la soumission étroite à une loi, en la limitant au projet mesquin, et d'ailleurs impossible, de tenir sa vie dans une dignité irréprochable devant Dieu et les hommes, en la livrant à toutes les manœuvres et pressions de ceux qui savent tirer profit de cette peur, dans les religions ou ailleurs. Non aliénant, mais restituant, épanouissant, libérant est le Dieu de la foi — à condition d'y accéder et d'y rester. La critique de la religion provenant de l'athéisme existentialiste est perçue par le croyant soit comme une attaque qui ne le concerne pas, soit comme un tir de barrage qui l'empêche de retomber en religion.

2. Deuxième fonction : prolonger activement la Révélation

Si Dieu est Puissance-pour l'homme, le croyant qui en fait l'expérience ne peut pas ne pas en tirer, conséquence logique et viscérale, le désir, le goût, le sens d'une existence qui s'inscrive dans l'histoire comme un pouvoir-pour l'homme. Il prolonge activement vers les autres la Vie dont il est d'abord bénéficiaire de la part de Dieu. Tel est l'axe fondamental de cette religion *réelle* que tout le mouvement prophétique réclame, de Michée à Jésus, mais il faut en analyser les nombreux rouages.

Retour à la Loi et à la Peur ?

Il s'agit donc maintenant de la vie réelle, de l'agir humain : comment se fait le choix moral de telle ou telle manière d'agir ? Michée demande que l'homme « agisse dans la justice, aime avec tendresse » : fort bien, mais cela reste vague ! N'allons-nous pas retomber sous le coup d'une loi précise, gérée par un appareil religieux qui sait et qui commande, dans la même mentalité de peur, de tentative désespérée de suffire à la loi, que l'on critiquait plus haut ? N'allons-nous pas retomber inévitablement en religion ?

Certes, le danger est là ! Et on y succombe aisément. Le croyant, engagé dans la vie, n'évitera pas l'expérience de l'insuffisance, de la lâcheté, du péché : il verra qu'il ne prolonge pas suffisamment ou pas du tout vers les autres la vie qu'il reçoit de Dieu. Le croyant n'évitera pas non plus l'insécurité, le doute et l'erreur dans ses choix. Et le voilà doublement menacé par la peur, doublement provoqué à retomber en religion, à se remettre sous le joug sécurisant de la loi : un certain nombre de choses précises à faire ou à ne pas faire, et Dieu nous fera un beau monde, en récompense.

L'aliénation de la liberté est souvent sécurisante, et la liberté l'est rarement !

Pour que ne cesse jamais la libération

Dès la première présentation du décalogue (Exode 20), qui constitue le noyau de la Loi, la Bible parle un langage d'alliance et de foi, non de religion. « C'est moi, le Seigneur ton Dieu, qui t'ai libéré du pays d'Egypte, de la maison de servitude. Tu n'auras pas d'autres dieux que moi, tu ne feras pas, etc. » La logique est claire : Je suis ton libérateur, dit Dieu, tu ne saurais être libéré autrement qu'en devenant toi aussi libérateur. Tu agiras donc en libérateur.

La religion, elle, ne retient que le décalogue, les commandements, sans la phrase qui l'introduit et le fonde. La religion fait de la Loi un mode d'emploi, précis, complet, qui permette à l'homme de réaliser l'agir religieux exigé par Dieu, de triompher de son exigence, d'être en ordre devant Lui.

Pour la foi, au contraire, cette même Loi, ce même décalogue devient l'expression, en ses aspects principaux, d'une ligne de conduite, d'une manière d'agir qui prolonge entre les hommes la libération que Dieu leur met dans le cœur. La Loi regroupe ainsi inséparablement l'expérience de Dieu comme libérateur et l'expérience du peuple de Dieu comme libéré et libérant.

Les aspects principaux, fondamentaux, de cette expérience (respect de la vie et des biens) font l'objet du décalogue. D'autres valeurs d'expérience s'ajouteront, surtout celles de la communauté chrétienne dans le Nouveau Testament, qui font de la Loi l'expression d'une expérience vivante, jamais close ni achevée, parce que toujours ouverte sur les situations historiques nouvelles où le croyant doit prolonger la vie qui vient de Dieu. Au lieu d'être un mode d'emploi précis pour l'homme religieux devant et contre Dieu, la Loi est l'expression vivante de l'expérience du croyant libéré par Dieu et libérant avec Dieu, réfléchissant sans cesse en conscience et en Eglise aux démarches concrètes que cela comporte maintenant.

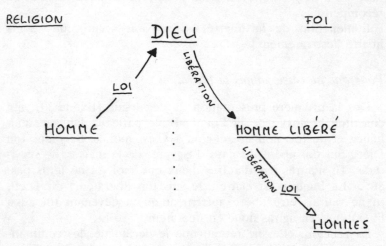

Exigences de Dieu	Prolongement de l'action de Dieu
Mode d'emploi	Paroles d'expérience
Précis, complet, clos	Ouvert, évolutif, en recherche
Devant, contre Dieu	Avec Dieu
Pour triompher de Dieu	Pour faire vivre les hommes
Pour être en ordre devant Dieu	Pour faire exister les hommes le plus
Par peur et soumission	possible
	Par contagion de liberté.

Discernement ou répétition

Dans le Nouveau Testament, saint Paul bâtit ses épîtres selon la logique que nous exposons ici. D'abord une première partie qui correspond à notre fonction d'accueil de la révélation, partie théologique qui dit la vie qui vient de Dieu en Jésus ressuscité. Puis la seconde partie, parénétique (ou morale) qui dit l'expérience chrétienne d'une existence qui prolonge dans le réel la vie reçue de Dieu. Or, cette deuxième partie comprend certes un certain nombre d'exigences morales précises — l'expérience chrétienne est déjà en route, elle sait dire déjà plusieurs choses acquises, certaines manières d'agir qui s'inscrivent ou ne s'inscrivent pas dans la vie de Dieu à prolonger vers les autres. Mais elle comporte surtout un appel au *discernement* (cf. Rm 12, 2 ; 2 Co 13, 5 ; Ep 5, 9-10 ; 17-17 ; Ph 1, 10) donc à l'expérience, à la réflexion et au choix. La Loi reste ouverte, en recherche, vivant d'un seul principe absolu : exercer avec Dieu un pouvoir pour les hommes — comme le dit saint Paul avec d'autres mots : « Tout se résume en cette parole : Tu aimeras ton prochain comme toi-même » (Rm 13, 9 ; cf. aussi Ga 5, 14). Au-delà de ce principe absolu, c'est l'espace mouvant de la vie humaine.

Compétence ou tradition ?

Au xxᵉ siècle, ce chantier a pris une extension telle qu'il apparaît avec évidence à tout homme sérieux qu'on ne peut pas le prendre en compte avec une vieille Loi religieuse, si vénérable soit-elle. Mais la Loi de la foi, elle, peut et doit poursuivre son œuvre de discernement.

Plus l'homme avance dans la connaissance des fonctionnements réels de la vie — physiologie, biologie, sexualité, mécanismes sociaux, politiques, économiques — plus l'homme maîtrise le maniement de ces choses, plus grande aussi devient la part de discernement, de choix et d'aventure dans la décision morale de l'homme.

L'agir de l'homme croyant se développe donc comme un arbre. C'est sous le soleil que tout se passe, mais les racines puisent dans le terrain concret tous les éléments dont l'arbre a besoin. Le soleil ne rend pas les racines superflues, les racines ne rendent pas le soleil inutile.

L'agir croyant puise donc à deux sources. La première, la Loi. A travers les paroles d'expérience du peuple de Dieu, depuis l'Ancien Testament (le décalogue), à travers le Nouveau Testament (l'Evangile, les béatitudes), le long des siècles de l'Eglise (l'enseignement du magistère), la Loi transmet ce sens absolu : Dieu fait vivre l'homme pour qu'à son tour il fasse exister les autres.

Mais ce sens, si absolu, si important, si nécessaire soit-il, doit prendre forme dans des projets concrets. La seconde source en est donc la connaissance de la réalité, la compétence réelle. « Agis dans la justice », dit le prophète — et le croyant, bénéficiaire de la Justice de Dieu, puise dans cette parole le goût absolu d'agir. Mais c'est dans la connaissance des mécanismes du sous-développement, par exemple, qu'il pourra articuler un projet concret. Plongé certes dans les risques de l'incertitude de l'histoire —, mais quelque chose du Règne de Dieu passera. « Aime avec tendresse », dit le prophète. Et le croyant, aimé ainsi de Dieu, puisera dans cette parole le goût absolu d'aimer avec cette qualité. Mais c'est grâce à la connaissance des fonctionnements et des significations réelles de la sexualité, par exemple, qu'il pourra aimer vraiment et éviter que son projet d'aimer ne tourne en fait en cruauté, tourment ou avilissement.

Aliéné cet homme ?

Compris, expérimenté dans ce contexte de foi, libéré résolument de la religion (subjective), ce type d'homme dont nous parlons ne se sent pas atteint par la critique moderne, ni par celle de l'athéisme existentialiste, reprochant à la religion de sortir l'homme de l'existence réelle, ni par celle de l'athéisme pratique, lui reprochant de tenir l'homme à l'écart du fonctionnement réel du monde. Mais cette critique peut l'aider, parfois, à ne pas se soustraire aux grands vents de l'histoire et aux tempêtes de la vie, en leur préférant les abris étroits des règlements religieux. Que la religion ait fait de son dieu un ennemi de l'homme et de son existence, c'est certain. Mais c'est faire un mauvais procès à Dieu que de le juger sur le dossier d'un autre.

3. TROISIÈME FONCTION :
RENDRE LE CULTE SPIRITUEL DE L'ADORATION

Au bord d'un puits, comment lancer le dialogue, sinon en parlant de soif et d'eau ! De besoin en désir, Jésus conduira la femme de Samarie jusqu'à la révélation du désir de Dieu : « Le Père *cherche* des adorateurs en esprit et en vérité » (cf. Jn 4, 24).

La rencontre de deux désirs

De nos jours encore, quand dans un groupe on reconnaît un prêtre, on se croit obligé de lancer une conversation religieuse. C'est généralement la dernière polémique : « Que pensez-vous de la lettre de Jean-Paul II aux prêtres ? » Quand la Samaritaine reconnut en Jésus un homme de Dieu, elle passa à un thème religieux (Jn 4, 19 ss.). Elle pense en terme de religion et oppose, sur ce seul et unique plan, deux traditions différentes. Les uns disent : pour atteindre ce dieu lointain, dangereux, exigeant, il faut que le rite se déroule sur le mont Garizim, qu'il soit célébré à telle date, de telle manière, par tel spécialiste ; sinon, cela ne fonctionne pas. Là où l'on s'embrouille, c'est quand d'autres, tout aussi religieux, viennent vous dire : « Mais non, c'est à Jérusalem que cela doit se passer. Ailleurs, cela ne fonctionne pas. Un bon rite efficace, qui vous permette de vous faire bien voir de Dieu, ne peut se faire qu'à Jérusalem. » Religion du rite et de l'utile, religion de la peur et de la loi, elle se renouvelle à chaque génération : « C'est en latin et selon le rite saint Pie V qu'il faut adorer Dieu ! Tout autre rite est vain et sacrilège ! »

Jésus ne donne pas raison à une technique religieuse contre l'autre, il déclare la religion dépassée au profit de la révélation de Dieu et de la foi. Le mouvement est inversé. D'abord, c'est Dieu qui cherche, qui prend l'initiative, Dieu qui est don : « Si tu savais le don de Dieu. » C'est Dieu qui vient rencontrer l'homme — mais l'humanité est femme devant le désir de Dieu — le rejoindre à son niveau de désir le plus simple, le plus quotidien : la soif, le besoin matériel, physique. Puis on passera au besoin personnel : la relation, l'amour : « Appelle ton mari. »

C'est ainsi tout le désir de l'homme que Dieu vient rencontrer, reconnaître, faire monter et s'épanouir dans la plénitude du Désir de Dieu : « L'eau que je te donnerai, deviendra en toi une source jaillissant en vie éternelle. »

Autour du désir de l'homme, de son besoin le plus humble jusqu'à ses désirs les plus élevés, s'ouvre soudain l'horizon infini de la Vie de Dieu. Dans le langage de saint Jean, « vérité » signifie « révélation ». Ce qui se passe « en vérité », se réfère donc à cette existence humaine qui exulte de voir son désir reconnu et épanoui par le désir de Dieu. En bref : c'est l'existence humaine dont le désir exulte dans l'accueil de la Révélation, du Don de Dieu.

Mais une telle existence se trouve libérée de la religion : son problème n'est plus de trouver le rite efficace pour atteindre Dieu. Son seul intérêt, c'est d'exister et de faire exister, dans la mouvance de ce Don reçu. C'est, avec Dieu, d'exister pour épanouir le désir des hommes : besoin d'eau et désir d'amour. Voilà un engagement, une religion, qui se passe dans l'existence réelle — et non dans l'inconsistance du seul rite — qui se passe « en esprit », en réalité et non en apparence.

L'adoration — en esprit — et en vérité : voilà nos 3 fonctions, dans l'ordre inverse parce qu'exposées à partir de leur achèvement. D'abord l'adoration où tout s'achève, puis l'existence réelle, « en esprit », où se constitue le contenu de l'adoration, enfin l'accueil de la révélation, l'accès à cet espace de « vérité » qui seul est capable de faire démarrer une existence en libérant son désir.

« A genoux, les adorateurs ! A mort, les victimes expiatoires ! » : clame le dieu Moloch de la religion. Et bientôt l'athée criera plus fort que lui le dégoût de cette adoration aliénante.

Mais un Dieu qui cherche des adorateurs dont l'adoration soit comme le sourire de la femme amoureuse, aimée et comblée, de la femme qui a trouvé enfin son homme ! Mais un Dieu qui cherche des adorateurs dont l'adoration soit une existence au désir libéré et capable donc de rejoindre le désir des autres : « Abandonnant sa cruche, la femme s'en fut à la ville dire aux gens : j'ai rencontré un homme, ne serait-ce pas le Christ ? » (Jn 4, 29). Devant un tel Dieu, l'adoration n'est pas aliénante. Ce n'est pas « lui ou moi » — c'est « d'autant plus lui que c'est plus moi » !

Prophète et roi, pour être prêtre

La révélation de l'Ancien Testament s'est constituée autour de trois grandes figures, trois grands rôles qui de manière dialectique structuraient l'expérience religieuse d'Israël : les prophètes, les rois, les prêtres. Chacun de ces rôles était aussi comme une prophétie vivante du futur Messie. Jésus, le Messie, rassemble et réalise en lui pleinement cette triple fonction et dignité, tout en donnant à chaque rôle une réalisation différente des attentes qui animaient le judaïsme. Ainsi, il sera roi, mais son royaume n'est pas de ce monde. Il sera prêtre, mais pas à la manière des castes sacerdotales, juives ou païennes. Il sera prophète, mais ne se contentera pas de transmettre un message : il prononcera une parole personnelle, « avec autorité ».

Vatican II a renouvelé cette approche biblique du rôle du Christ et de tout baptisé : chacun est incorporé au Christ pour poursuivre avec Lui, dans l'Eglise et pour le monde, ce triple service de prophète, de roi et de prêtre.

Mais ce renouvellement n'a pas été sans problème. Le prophétisme a eu beaucoup de succès, au risque d'être confondu souvent avec toute attitude de rupture violente se rapportant davantage à un projet de valorisation personnelle qu'à la parole de Dieu. La « royauté » n'a eu aucun succès : des trois catégories toutes déjà assez poussiéreuses, celle-ci rebutait trop la mentalité démocratique et l'abandon du triomphalisme chrétien, elle ne réussit donc pas à sortir du musée biblique. Le sacerdoce a connu une grande fortune, tout en favorisant pour sa modeste part la perte d'identité des ministres ordonnés.

En fait, ce sont là trois catégories fondamentales qui viennent recouvrir très exactement les trois fonctions que nous avons retenues pour dire l'essentiel de l'expérience de la foi. Prophète, c'est la capacité, la tâche et la dignité d'accueillir la Révélation. Mais de l'accueillir non pas seulement dans l'acceptation d'un Credo officiel, mais dans sa propre vie. « Le royaume des cieux est semblable à une femme qui mêle à sa pâte du ferment jusqu'à ce que tout soit levé » (cf. Mt 13, 33). Etre prophète, c'est avoir cette connaissance, cette familiarité avec la parole de Dieu, avec son Sens, qui permet d'en éclairer sa propre vie et d'en tirer un projet — un grand projet pour sa vie, et tous les petits projets à court terme qui servent de pierres à la grande mosaïque.

Armé de ce projet — et seulement alors — le prophète peut devenir roi. Un roi a du pouvoir sur la réalité, pour la transformer, la modeler selon son programme. C'est notre deuxième fonction, celle de l'agir avec Dieu pour permettre à sa vie de prendre formes concrètes dans la vie de l'homme.

Roi, le chrétien prend le pouvoir sur la réalité pour y réaliser son projet de prophète. Avec plus ou moins de succès. Toujours conscient de la fragilité de ses choix et de son action, de l'ambiguïté de ses motivations, et surtout de la formidable résistance de l'histoire qui renouvelle sans cesse, et en tout cas à chaque génération, le même problème de la libération de l'homme.

Vivant une telle existence, portant cette action, le roi peut alors — et alors seulement — devenir prêtre, c'est-à-dire : « offrir à Dieu son existence » comme dit Paul (Rm 12, 1). Il est évident que pour cela il faut d'abord exister, au sens fort du terme : c'est la seule réalité qui intéresse Dieu et qui lui rende gloire. L'activité religieuse le laisse indifférent : « Vais-je manger la chair des taureaux et boire le sang des béliers » ? (cf. Ps 49, 7-15) — « Que me fait la multitude de vos sacrifices ? Vos solennités, je les déteste ! » (cf. Is 1, 10 ss.).

L'existence réelle l'intéresse, car il y a ainsi entre Dieu et le croyant adorateur (le prêtre) la même relation achevée et gratifiante qu'entre le père et son fils devenu adulte, libre et reconnaissant alors la paternité de son père.

La « Gloire », c'est le rayonnement d'une existence libre, forte, authentique. Et cette gloire est rendue à Dieu quand une existence humaine reconnaît que c'est Dieu qui l'origine et que c'est

Dieu qui l'accomplit. Le Sens, derrière et devant, qui rend possibles, et qui accueille pour les accomplir dans le monde nouveau, les sens que l'homme réalise dans sa vie. La Vie, derrière et devant, qui rend possibles, et qui accueille pour les achever en éternité, les vies que l'homme peut faire exister.

Le sacerdoce, où culmine l'action prophétique et royale, vit en effet de l'espérance qu'un jour «Dieu sera tout en tous» (cf. 1 Co 15, 28). Mais le Fils de l'homme, quand il viendra, trouvera-t-il la religion, l'athéisme ou la foi sur la terre (cf. Lc 18, 8)?

DEUXIÈME PARTIE

DIEU ET LE MONDE

Scandale, dégoût, épreuve

Dieu n'est pas la projection du désir de l'homme. Le Dieu de la religion, lui, est projection du désir de l'homme, mais ce dieu-là, le croyant le livre volontiers en pâture à la critique athée. Dans la foi, c'est plutôt Dieu qui, par la conversion, projette l'homme au-delà de ses schèmes naturels de pensée vers une expérience radicalement autre de Dieu.

Notre première partie a donc établi une première rupture : pour la religion, Dieu est une puissance que l'homme doit faire réagir pour son profit. Pour la foi au contraire, c'est Dieu qui agit, fait vivre l'homme et celui-ci doit accueillir. Sur cette première rupture se dresse immédiatement une seconde. La religion espère amener Dieu à *intervenir utilement* pour réaliser les désirs et besoins de l'homme. La projection est donc plausible pour tout homme pour qui la religion ne représente plus un fait sacré et intouchable, pour l'homme moderne en particulier.

Pour la foi, au contraire, Dieu fait certes exister le croyant, donne respiration à sa liberté, lumière à sa recherche de sens, mais il *n'intervient pas utilement* en faveur de l'homme. Dieu laisse à l'homme tout le poids de sa vie et du monde à porter et à réaliser. Il ne vient pas, dès lors qu'il est cru et accueilli par le croyant, transformer les cactus en velours côtelé : les abîmes de non-sens concrets, mort et dépression, violence et famine, esclavage et cancer, tout reste inchangé, Dieu n'intervient pas selon le désir, selon les cris mêmes de ses croyants « qui crient vers lui jour et nuit ».

Il n'y a pas, doublement pas, projection ! Même pour le croyant, le Dieu de la foi reste un Dieu absent. La projection qui anime la religion, si elle fait pour un temps son bonheur, sa mystique paisible — pour le temps du succès, de l'amour et de la santé — devient bientôt, quand changent les temps, son *scandale* : mais enfin, que fait Dieu ? comment peut-il permettre ? qu'ai-je bien fait au bon Dieu pour qu'il… ? etc.

Oui, scandale pour l'homme concerné, mais aussi *problèmes* insolubles, pour la pensée religieuse, pour les défenseurs du système : comment justifier, « sauver » Dieu, dans tel ou tel cas ? Il est vrai qu'il est si simple d'évoquer le mystère, de se réfugier derrière « les voies secrètes de la divine Providence ». Mais aussi *doute,* de plus en plus profond, du malcroyant. Mais aussi *degoût* de l'athée pour ce mystère de Dieu et pour ce désir de l'homme, si facilement manipulés par la religion et ses professionnels.

Le croyant, lui, ne vit pas de projection. Ce n'est pas qu'il y soit insensible. Il n'y a pas de vaccin, et toute détresse fera toujours jaillir, en un premier temps, le désir fou de voir Dieu intervenir et la folle entreprise de l'y entraîner. La détresse est chemin de conversion et de croissance, pas d'évidence et de facilité. Après tout, Jésus aussi a eu peur, une peur horrible au point de suer le sang. Il a eu aussi le cri fou : « Mon Dieu, pourquoi cet abandon ? »

Parce que, même péniblement et lentement, le croyant ne vit pas de projection, il n'y a pas de scandale pour lui : simplement le combat de la liberté, l'*épreuve.* Il n'y a pas de problèmes, de raisons à chercher pour justifier Dieu et l'événement que soi-disant il permet ou provoque : il y a simplement l'attente de la *rencontre* au terme de l'exode, la communion à la *présence* au travers de l'Absence, l'accueil de l'*agir* divin dans le cœur de la liberté malgré la Non-intervention dans les événements.

Est-ce trop présumer que de penser qu'un tel respect de la réalité humaine — son formidable désir, sa grandeur, sa fragilité, son autonomie et sa détresse — qu'un tel refus de la manipuler, de l'envelopper dans la sécurité, de l'occulter dans la croyance, pourrait aider l'athée à se guérir du dégoût de Dieu ? Sans oublier tout le bien que cela pourrait faire aux malcroyants.

Telle est en tout cas notre entreprise pour cette IIᵉ partie. Elle sera conduite d'abord en une réflexion systématique. Ce n'est pas au nom d'une satisfaction intellectuelle ou d'une cohésion interne de la pensée que nous pourrons choisir entre ces systèmes, rejeter l'un comme faux, accepter l'autre comme juste. C'est au nom de la Parole de Dieu, au nom de l'Evangile que ce choix devra se faire. La pointe de notre développement se trouvera donc dans le chapitre biblique. C'est la Parole de Dieu qui nous fait choisir la foi et qui nous apprend ce qu'elle comporte ; la mise en système, elle, provient de la Parole et ne sert qu'à mieux la percevoir.

C'est la Parole de Dieu qui nous délivre et nous lance dans un nouvel exode, en pleine existence celui-ci. Il s'agit de sortir de l'esclavage de l'Egypte : de la religion qui fait de l'homme l'exécutant d'un Plan préétabli. Il s'agit de ne pas s'arrêter dans le désert, le désert de sens, le fourmillement insensé des grains de sable où nous abandonne l'athéisme. Il s'agit enfin d'entrer dans la Terre promise, Terre confiée aux serviteurs libres d'un Maître absent mais proche, parce qu'attirant et attendu.

I

LES TROIS SYSTÈMES DE PENSÉE

L'homme est toujours « en situation », comme on dit, confronté à un événement. L'homme comme tel, comme nature, comme être en général, n'existe pas. N'existe pas non plus la relation entre l'homme ct Dieu en général : elle aussi est toujours concrétisée par la situation, par l'événement.

Voilà donc les trois termes qu'il s'agit d'organiser pour comprendre et dominer notre expérience d'homme : il y a Dieu, il y a l'Homme, il y a l'Evénement. C'est dans l'organisation de ces trois termes que s'explicite mon sens de Dieu dans sa relation avec le monde, du coup aussi mon sens du monde et surtout de moi-même.

1. L'athéisme : Hasard, Nécessité, Projets

La pensée athée supprime un des trois termes : il ne reste plus que l'Homme et l'Evénement. Le monde est un ensemble de forces agissant de manière totalement autonome : les forces physiques selon leurs lois bien précises — les forces morales, c'est-à-dire l'homme, les groupes, les sociétés, selon leurs connaissances, leurs projets et leurs capacités. Face à l'Homme, *il n'y a que l'événement.* Tout provient du hasard, par le libre jeu des forces en présence — et ce hasard, une fois inscrit dans les faits, devient nécessité pour la suite, dans l'enchaînement constant des événements. Et si ce n'est pas le hasard, c'est l'action de l'homme, projet consciemment mis en œuvre, ou action inconsciente, provocation non prévue, non calculée.

Il n'y a donc pas un Sens global, une Pensée qui dirige le tout, il n'y a que cet immense et incessant enchevêtrement de hasards et de libertés, de forces aveugles et de projets humains. Il n'y a pas d'autres sens que ceux que l'homme peut, petit à petit, arracher ou imposer à la réalité, en fonction de son désir de vivre et de ses besoins. Il n'y a pas d'autres sens que ceux que l'homme réalise par sa pensée, son travail, ses relations, en fonction de ses projets. Or, des deux, de l'Homme et de l'Evénement, c'est finalement toujours l'Evénement qui est le plus fort. L'homme doit percer contre les événements et il n'y parvient jamais que partiellement et provisoirement. Là est le non-Sens fondamental.

Non-Sens. Et les uns de se dresser dans une lutte d'autant plus courageuse et généreuse, découvrant un dépassement, donc un sens, dans le combat collectif de la famille, du groupe, de la classe sociale, de l'humanité. Non-Sens qui décourage les autres, les démobilise, ou les abandonne aux projets les plus ignominieux et aux moyens les plus affreux.

2. La religion : le Gouvernement de Dieu

Le système religieux a été suffisamment expliqué plus haut. Il faut maintenant y introduire le terme nouveau, l'Evénement. C'est par les œuvres de la Loi ou par la célébration du rite que le religieux pense agir sur Dieu et c'est logiquement par l'Evénement qu'il espère le voir réagir en faveur de l'homme.

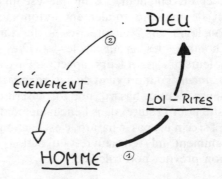

Dieu est dans l'événement

L'événement, c'est tel succès ou tel échec, telle joie ou telle peine, telle rencontre ou telle rupture, telle maladie ou telle guérison. A la différence de la pensée athée, le religieux ne reconnaît pas d'autonomie à l'événement : il est bien plutôt l'instrument de l'action de Dieu. Dieu est dans l'événement, donc avec sa puissance, sa sagesse, son projet, comme moi je suis dans le marteau avec lequel j'enfonce un clou pour suspendre le tableau que j'ai prévu sur la paroi sud de ma nouvelle chambre. Le marteau est animé de ma force, de mon adresse, de mon projet artistique, de mon plan de décoration. Je suis dans le marteau, tout le sens de l'action du marteau vient de moi. De même, Dieu est dans l'événement, avec sa force, sa sagesse et son plan.

Cette pensée est fondamentale au système religieux. Quel intérêt y aurait-il pour le faible à s'attirer péniblement la faveur du Puissant, par quelque moyen que ce soit, si ce Puissant ne détenait pas la maîtrise de l'événement et ainsi la capacité de manifester concrètement à son courtisan la faveur qu'il se laisse arracher ?

Pour que le projet religieux soit vraiment opérationnel, qu'il n'y ait pas de faille — une surprise, un oubli, c'est si vite arrivé, et tout est par terre — il faut que rien n'échappe à la Puissance de Dieu.

Dieu gouverne le monde

L'homme est comme égaré dans le temps. Il connaît peu son passé, il ignore presque tout de son avenir, il se perçoit à peine dans le moment présent. Il avance donc comme à tâtons, la portion du chantier qu'il connaît est si étroite qu'il a une peine énorme à conduire son projet à terme, quand il ne lui est pas purement et simplement ôté.

Dieu, lui, de son Eternité, domine la totalité du temps, d'un bout à l'autre. Tout lui est présent, tout lui est connu : il peut donc gouverner librement, ordonnant chaque événement selon son plan préétabli sur chaque être et sur l'ensemble de l'histoire et du monde. Eternité et omniscience sont les instruments de son gouvernement, sagesse est la qualité de son plan et de son action.

Puisque rien n'échappe à une telle présence, tous les êtres sont incorporés à son gouvernement : les forces physiques comme instruments de son action, les êtres libres comme instruments, exécutants ou collaborateurs, suivant les cas et leur degré de participation. Il arrive aussi, bien sûr, que ces êtres libres fassent le mal — ce mal moral qui n'existe pas dans le plan de Dieu. Pas plus d'ailleurs que le mal physique : la douleur, l'infirmité, la maladie, la mort, tout découle du péché du premier homme. En soi, le plan de Dieu sur le monde ne comportait pas le mal physique. Et tout le mal ne peut se faire que par la permission de Dieu. Cela aussi est inclus dans le plan de Dieu qui ne s'en trouve donc aucunement dérangé. Rien n'échappe finalement au gouvernement de Dieu.

Dieu dispose des événements et des hommes

Dans un tel ensemble, de deux choses l'une. Ou bien l'homme se soumet au plan de Dieu sur lui et sur le tout, ou bien il en fait à sa tête. Cela donne les bons et les méchants.

Les méchants, s'ils prospèrent, réussissent et se portent bien, ce n'est pas qu'ils aient réussi à échapper au Gouvernement de Dieu. Jamais. En fait, Dieu se sert d'eux, pour un projet qu'ils ne remarquent même pas. Mais un jour, la Justice de Dieu ne manquera pas de les précipiter dans les événements qu'ils méritent. Vengeance du système, de l'ordre dont ils avaient cru s'émanciper.

Les bons recherchent en tout la volonté de Dieu, car comment réussir sa vie en dehors du rôle, faire sa marche à côté de la trace que le plan de Dieu a prévus pour soi ? Le bon sait qu'il y a une volonté de Dieu très précise, sur lui et sur chaque être autour de lui. Il sait aussi qu'en réponse à sa bonne volonté il peut compter sur la Providence de Dieu : tout événement est providentiel, c'est chaque fois comme un signe de piste qui marque la direction de l'étape suivante selon la volonté de Dieu.

En principe, le bon reçoit de la Providence de Dieu des événements bons. C'est logique. Si ce n'est pas le cas, alors c'est qu'un bien ultérieur est voulu par Dieu, c'est donc une épreuve pour une croissance dans la soumission, ou un bien authentique dès maintenant mais qui n'apparaîtra comme tel que plus tard.

Sur toute ma vie, sur toutes les vies et sur le monde entier, règne donc un sens parfait, sans faille : le sens que la Sagesse de Dieu, par son omniscience éternelle, a défini — les rôles que sa prédestination a attribués à chaque être — la réalisation à

laquelle veille sa puissance de gouvernement ; malgré les
méchants, les rebelles, dont elle se joue et finalement se venge ;
à travers le service des bons qu'elle guide et finalement récompense.

3. LA FOI : L'ABSCONDITÉ DE DIEU

Etre à la fois le plus présent et le plus absent, le plus recherché et le plus insaisissable, le plus important et le plus inutile :
voilà bien une situation pas banale pour le Dieu de la foi, une
situation tellement unique qu'il faut inventer un mot nouveau
pour la désigner.

« Abscondité » : présence dans l'absence, action dans la non-
intervention. Dieu caché. On ne pouvait quand même pas dire
« cachéité ». Alors on pense à un mot latin, utilisé dans la
Vulgate en Is 45, 15 ss : « Vraiment, tu es un Dieu caché (abs-
conditus) Dieu d'Israël, Sauveur » — ct on parle de l'*abscondité* de Dieu. Voilà pour le mot. Quant à la chose, c'est comme
une mosaïque : il nous faut rassembler lentement les traits de
ce Dieu qui ne sera ni le dieu trop absent parce qu'inexistant de
l'athéisme, ni le dieu trop présent parce que gouvernant de la
religion.

L'homme, face au seul événement

On affirme ainsi — avec l'athéisme, mais sans nous y enfermer, comme lui — l'autonomie du monde et du déroulement
des événements. Ceux-ci ne sont pas pensés, programmés dans
une officine céleste pour être ensuite transmis pour réalisation
dans nos vies concrètes. Ils résultent du seul jeu autonome des
forces présentes dans le monde : les forces physiques selon leurs
lois propres, les forces libres selon leurs projets.

Un tel monde apparaît comme le champ du combat, de la
liberté, de l'aventure de l'homme. Poussé par son projet fondamental qui est la vie et le bonheur, l'homme doit apprendre à
découvrir, à connaître et maîtriser toutes les forces qui le
conditionnent, autour de lui et en lui. Le monde est comme
un champ clos, et l'homme y est livré, seul, à l'affrontement
constant avec l'événement. Pour le maîtriser et l'utiliser. Ou
pour le subir.

Dieu n'est pas dans l'événement

Autonome, laissé à lui-même, livré à son autonomie, le monde se déroule donc sous le signe de la non-intervention de Dieu. Normalement! Les miracles sont très rares! Normalement, Dieu n'intervient pas dans le processus, dans le déroulement autonome des événements. L'homme ne rencontre donc pas Dieu par événement interposé.

Certes, Dieu est créateur. Mais il n'est précisément pas fabricant! Un fabricant fait l'objet jusque dans ses dernières déterminations, dans ses moindres détails. Le Créateur, lui, est l'être mystérieux qui donne à tout ce qui est d'être selon sa nature, à l'homme selon sa liberté.

Dieu crée pour faire exister, laisser exister et livrer à l'existence. Son don de création est et reste toujours radicalement premier, inconditionné. Dieu ne fait donc pas dépendre sa création de la qualité de l'événement qui va en surgir. Il y a le drame physique : catastrophe, accident. Il y aura le drame moral : violence, détresse, écrasement. La création de Dieu est pour ainsi dire — et pour faire choc! — indifférente à ces événements, indifférente à la valeur ajoutée. Dieu n'arrête pas la main de l'assassin, il n'intervient pas! Il n'annihile pas le poignard que brandit le meurtrier : il crée «dans l'indifférence».

En fait, Dieu n'est certes pas indifférent à ce qui se passe, nous le verrons. Mais sa création — qui n'est qu'une partie de son action — elle, l'est : elle fait exister et laisse exister. S'il y a des rencontres malheureuses, s'il y a des projets iniques, Dieu ne cesse pas pour autant de faire exister, de laisser exister. Et il n'intervient pas, ni pour empêcher, ni pour réparer.

L'événement relève donc des seules forces en présence. Il n'a pas d'autre sens, d'autre origine, d'autre raison d'être que ceux que l'événement porte en lui-même et que l'analyse peut, en principe, y découvrir.

L'événement n'est pas signe de Dieu

Vatican II a parlé, très justement, des «signes des temps», invitant à les «scruter» et à les «interpréter à la lumière de l'Evangile» (*Gaudium et spes* 4, 1). Signes des temps, et pas signes de Dieu! Signes à scruter et à interpréter soi-même en s'aidant de l'Evangile et non pas signification imprimée par Dieu dans l'événement !

Et pourtant un certain langage religieux, même en milieu chrétien, avec une référence explicite à *Gaudium et spes,* ne cesse de parler des événements comme signes de Dieu. Et l'on sait à quelles aberrations dans l'interprétation personnelle — à quel impérialisme spirituel dans l'obéissance à un directeur ou à un gourou habile, trop habile à énoncer la volonté de Dieu — à quel doute ou à quelle haine de Dieu et à quel fatalisme indigne de l'homme, cette interprétation peut conduire et a souvent conduit. Qui pourra dire tout le mal qu'ont fait les « Dieu le veut » de l'histoire, publique et privée !

En réalité, Dieu n'est engagé dans aucun événement. Si quelqu'un meurt, ce n'est ni Dieu qui le fait mourir, ni Dieu qui adresse ainsi un signe à ses proches. Si un autre connaît un succès, ce n'est pas une faveur de Dieu à son endroit, signifiant qu'il est sur la voie de la justice. L'événement comme tel ne contient aucun sens venant de Dieu. Il n'a de sens qu'au niveau, autonome, des forces en jeu, sens que l'analyse ou l'enquête ou le diagnostic peuvent en principe discerner.

Sauf l'intervention de Dieu en Jésus

Jésus, et lui seul, est signe de Dieu dans le monde. « Qui me voit, voit le Père » (Jn 14, 9). Jésus est la présence de Dieu dans le monde : en lui, Dieu est venu-parmi nous, il est inter-venu. Et Jésus, ce n'est pas seulement sa vie, de sa conception à la résurrection. C'est tout ce qu'il a fallu faire, avant l'événement Jésus, pour qu'il puisse avoir lieu, et, après l'événement Jésus, pour qu'il demeure signifiant, rayonnant, agissant dans le monde. C'est donc l'histoire de la révélation du salut, d'Abraham à Jésus : événements et paroles, intimement liés, retenus dans la Bible, par lesquels et graduellement Dieu préparait sa grande intervention, le don de sa présence en Jésus. Puis, c'est autour de Jésus, et immédiatement après, l'Eglise avec les paroles du N.T. et les signes sacramentels.

Actuellement, ce sont là les seuls signes de Dieu dans le monde et dans nos vies : l'Eglise, la parole de l'Ecriture, les sacrements. C'est par eux que le signe Jésus demeure dans l'histoire, visible et actuel. En eux, il y a un sens qui vient de Dieu ; Dieu porte, habite ces réalités, pour faire parvenir au monde et à chaque homme un sens, son Sens : Dieu fait vivre, aime, attire en avant, rassemble les hommes et les recréera dans son Royaume. Mais l'Eglise est signe de Dieu dans sa réalité très fondamentale, première, celle que Vatican II a essayé de nommer en parlant de «peuple de Dieu», celle que Paul appelle le «Corps du Christ» : le fait que depuis et par Jésus, dans son Esprit, il y ait ce Rassemblement d'hommes, inaugurant dans l'histoire le Rassemblement du Royaume. Seul cet événement fondamental est signe — et non tous les avatars et tous les accidents de l'Eglise à travers l'histoire.

Et dans cette Eglise, la parole des Ecritures est signe de Dieu. Mais seulement elle, pas toutes les paroles et interprétations qu'on en donne — qu'il faut donner, mais elles ne sont plus paroles de Dieu. Dans cette Eglise également, les sacrements sont signes de Dieu, mais uniquement par le fait qu'elle possède des signes où se célèbre la rencontre entre l'homme et Jésus Sauveur. Non les avatars liturgiques et pastoraux des sacrements à travers l'histoire de l'Eglise.

Dieu est proche de l'homme dans l'événement

Jésus est signe de Dieu, le seul véritable et à jamais. Mais ce qui s'est révélé en Jésus, existe depuis toujours, et existe en dehors du monde christianisé. Dieu *est* puissance de vie pour l'homme. Il se révèle ainsi en Jésus, mais il l'est partout et toujours et pour tout homme. Les signes définitifs de cette révélation n'atteignent que les chrétiens. Mais la réalité atteint tout homme, car l'Esprit de Dieu ne connaît pas de barrière et il instruit et réchauffe toute liberté qui ne se ferme pas à lui.

Nous avons ainsi rassemblé les deux éléments de sens propres à l'intelligence de la foi :

1. D'un côté, l'homme est dans l'événement, face au seul événement, livré au jeu de toutes les forces en présence — et Dieu crée dans l'«indifférence» et n'intervient pas dans les événements pour les empêcher, les améliorer ou les transformer. Il y a donc là une très large Absence de Dieu.

2. De l'autre, — et c'est l'essentiel de la révélation en Jésus — Dieu est proche de l'homme, il est dans le monde comme puissance de vie pour l'homme. Donc une certaine Présence de Dieu.

A côté de la religion qui, en un système unique, met Dieu dans l'événement, lui accordant le gouvernement absolu de toutes choses :

Dieu → Evénement → Homme

A côté de l'athéisme, critiquant cette religion, défendant l'autonomie de l'homme et du monde, en retenant donc qu'il n'y a que l'Homme et l'Evénement, système clos lui aussi :

Homme → Evénement

La foi, en une position intermédiaire, retenant d'une part son sens de Dieu différent de celui de la religion et d'autre part l'expérience humaine que l'athéisme a profondément raison d'affirmer, découvre une relation ouverte sur la jonction d'une double réalité :

DIEU EST PROCHE DE |L'HOMME| DANS L'ÉVÉNEMENT

Les encadrements du schéma le signifient bien : aucune relation ne se ferme sur elle-même, ni Dieu-Homme, ni Homme-Evénement. Aucune n'annule l'autre non plus. Elles s'imbriquent. Et l'homme est au centre. Car c'est lui qui du côté de Dieu doit recevoir et puiser le Sens pour en remplir son cœur et sa liberté. Et du côté de l'événement, du déroulement pratique de la vie, doit agir d'une manière libre et autonome. Ou plutôt, l'homme est au centre car c'est lui qui dans son combat, dans son existence livrée aux formes du monde, dans sa responsabilité pour lui-même et le monde, est constamment en recherche de sens — et ainsi en besoin et en quête du Sens sous l'attirance duquel il pourra réaliser le plus possible une existence et un monde de sens.

C'est la raison d'être, la tâche et l'épreuve de la liberté de l'homme, dans la foi : faire la jonction entre ces deux couches de la réalité et maintenir la circulation constamment ouverte et vivante.

Dans cette formule, il est aisé de retrouver aussi notre schéma de la foi, en y introduisant maintenant le troisième terme, l'Evénement :

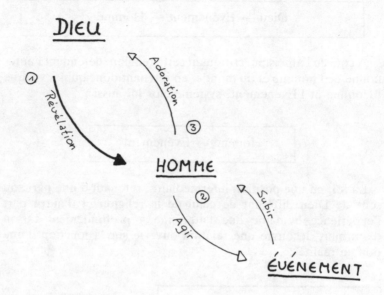

Dieu est proche de l'homme qui, lui, est face au seul événement

Telle est l'abscondité de Dieu.

Proche de l'homme, Dieu l'est par sa révélation, par l'Esprit dans le cœur de tout homme, par les signes de Jésus pour ceux qui l'ont déjà rencontré : il se révèle à l'homme comme puissance de vie pour l'homme, donc comme *sens* absolu de l'existence.

Mais Dieu n'est que proche — « Le Royaume de Dieu s'est fait proche » (Mc 1, 15) — car sa Présence ne s'impose pas, n'est pas évidente : elle doit être recherchée, accueillie et constamment fréquentée. Elle est toujours proche, jamais « dans la poche » ! Surtout, elle n'est que proche parce que cette proximité de Dieu par l'Esprit et les signes de Jésus s'allie à une grande absence de Dieu dans les événements.

Et l'homme est là, entre ces deux pôles, entre la Présence secrète et discrète et l'Absence inquiétante et déroutante —

entre l'accueil d'une Vie qui le précède, s'offre et l'anime, et l'aventure de la vie qui l'attire, le stimule, le comble et le broie.

C'est l'espace de la liberté, du choix et de la responsabilité ; le lieu de l'épreuve, donc de la foi, de l'endurance et de la croissance ; c'est la place du « poète » — le mot vient du verbe grec « poiein » qui veut dire « faire » — du poète qui forme la matière de l'existence humaine à l'image de la Vie où s'alimente sa liberté ; c'est avec Jésus la place du « prophète », du « roi » et du « prêtre » qu'est tout croyant.

Parce que Dieu n'est ni gouverneur, ni maître absolu, mais Créateur et Père, telle est la place de l'homme, en marche entre la matière et Dieu.

Quand le malheur survient

Voici une voiture, pleine de jeunes, rentrant d'une fête : virage, crissement des pneus, jurons des garçons, cris aigus des filles, éclatement du métal contre le mur, sifflement de la vapeur, silence.

Pour l'interprétation religieuse, Dieu est dans cet événement, et l'on n'hésitera pas à imprimer sur chaque faire-part : « Il a plu à Dieu... » Souvent, ce n'est plus que formule reprise mécaniquement par le compositeur du journal ou l'imprimeur. Mais souvent aussi, trop souvent, c'est l'expression exacte de la pensée des gens face à la mort : « Oh, Dieu, que tes décisions nous paraissent cruelles ! » — « Dieu donne, Dieu reprend ! » Permis ou provoqué par Dieu : quelle différence ? Pour ces jeunes, à tel moment, alors que pour d'autres, au même moment il agissait différemment, pour ceux-ci Dieu a choisi de les faire mourir ou de ne rien faire pour qu'ils ne meurent pas. Pourquoi ? Car s'il lui a plu ainsi, il y a des raisons, des motifs. Pourquoi ? On va donc en chercher de ces raisons, et en trouver. C'étaient des jeunes qui vivaient mal : ils avaient fêté toute la nuit, ils rentraient le dimanche matin, ils n'iraient certes pas à la messe. Eh bien, voilà le motif : Dieu les a punis, en même temps qu'il faisait un exemple pour rappeler les autres à plus de sérieux et d'obéissance. Ou encore, c'étaient des jeunes très bien. Mais dans son omniscience, Dieu savait que cela n'allait plus durer. Il a préféré les reprendre avant que leur vertu ne se gâte.

Si ce n'est pas les jeunes eux-mêmes, c'est alors peut-être leurs familles qui devaient être averties, ou méritaient une punition. Si tout cela ne convainc pas, il reste toujours qu'on n'a jamais vu quelqu'un se priver d'exercer un pouvoir qu'il détient. Or, Dieu détient le pouvoir de la mort. De temps en temps, il lui plaît de l'exercer ! N'arrive-t-il pas au meilleur des hommes de prendre plaisir parfois à écraser un insecte ?

Peur de ce Dieu dont le plaisir, un beau jour, tue ou fait vivre, laisse vivre ou mourir. Peur qui suscite l'entreprise désespérée d'être toujours en ordre devant lui, pour que le bon plaisir de Dieu ne soit mauvais pour moi que le plus tard possible. Peur qui anime la désespérée soumission à ce bon plaisir divin.

Et parfois, la douleur et le sens de l'injustice sont tels que la résignation bascule soudain dans le refus, la rébellion et la froide haine à jamais : « Il n'avait pas le droit de me prendre ma petite fille ! »

Cette peur et cette haine sont les fruits les plus purs de l'interprétation religieuse : ils sont le reflet dans le cœur de l'homme des masques grimaçants dont elle affuble Dieu.

Pour l'athée, il n'y a pas à chercher plus loin que la perte de maîtrise du conducteur. Ce sont des choses qui arrivent, un point c'est tout. Seul devant l'événement, l'homme ne peut pas toujours le maîtriser. On a beau se donner la vie la plus douillette, la plus protégée, la plus « assurée » possible, on rencontrera toujours l'événement plus fort que soi.

Cette fuite de sens à l'horizon de la vie suscite deux comportements : ou la peur de la mort, avec ses entreprises les plus folles pour se protéger et retarder la terrible échéance, — ou bien l'ardent empressement à vivre et à jouir le plus possible et à n'importe quel prix puisqu'aussi bien « il faut profiter de la vie tant qu'on l'a ».

Le croyant, lui, pense et réagit d'abord comme l'athée, quant au donné brut de l'événement : ce sont là des choses qui arrivent ! Cet accident n'a pas d'autre raison que celle que l'enquête policière, en principe, pourra établir : le chauffeur roulait trop vite, par exemple. Il n'y a pas à remonter jusqu'à Dieu, Dieu n'est pas impliqué dans cet événement, comme si par un décret de son gouvernement il avait choisi la mort de ces jeunes, le malheur pour leurs familles, tandis qu'il accordait aux autres joie, jeunesse et santé. Dieu n'a pas provoqué, Dieu n'a pas « permis » : cela est arrivé par autonomie propre. Le visage de Dieu n'est donc nullement hypothéqué par l'événement.

Faire du sens

Voilà comment réagit et pense le croyant d'abord. D'abord !
Mais, à la différence de l'athée, il n'en reste pas à ce premier
niveau brut de l'événement. Car le croyant rassemble en lui deux
niveaux de perception, dont il doit faire, lui, la synthèse. Il y a
d'abord la perception de l'événement en son autonomie, en son
donné analysable :

> L'homme dans l'événement.

En y réfléchissant, l'homme y découvre ce qui se passe, les
appels que contient tel événement, telle situation. C'est là que se
placent les « signes des temps » dont parle Vatican II. Certes,
quand l'événement est une mort, il n'y a plus rien à faire, du moins
pour celui qui est mort. Mais les autres événements portent tous
en eux un appel, une exigence, un signe. Par leur propre contenu.

Le croyant est ouvert aussi à une deuxième couche de perception :

> Dieu est proche de l'homme

Le croyant perçoit donc d'un côté, du côté de Dieu, le Sens absolu,
l'Amour, la Vie, Dieu qui le précède, l'entoure, l'attire et
l'attend. De l'autre, il perçoit le non-sens, non-sens partiel et
provisoire ou total et définitif, selon que l'événement est détresse,
maladie, injustice ou déjà mort et disparition. A l'homme croyant
de faire la synthèse, à lui de faire du sens. A lui de lutter contre le
non-sens et de faire du sens.

Puisant dans la foi en Dieu, dans le Sens que Dieu libère, d'une
part, et pour y trouver le souffle profond, la volonté, le goût
d'exister et de faire exister. Puisant d'autre part dans l'événement,
dans la situation qu'il analyse, pour y percevoir le signe, l'appel,
l'exigence, la provocation concrète de l'événement.

Puisant ainsi à ces deux sources : Dieu dans son mystère et
l'événement dans la réalité, — l'homme croyant, libre et responsable, *fait du sens*. Placé au carrefour de la révélation de Dieu et de la
réalité, l'homme croyant est responsable de la circulation du sens.

Puisant dans l'Existence de Dieu, provoqué par toutes les menaces de l'événement, l'homme croyant lutte pour exister et faire
exister, car le sens c'est l'existence, et l'existence la plus vraie, la
plus épanouie possible.

L'homme de la religion : l'exécutant des plans de Dieu en
attendant d'en être l'exécuté ! L'homme de l'athéisme : un être
fragile, totalement livré aux événements, bientôt perdu à force
d'être perdant ! Le croyant : un être tout aussi fragile et livré, mais
un être de médiation active entre le Sens et le Brut, un marcheur
entre le Lieu et l'Horizon, un créateur d'existence et de sens entre
Dieu et le Néant (cf. tableau).

Faire du sens, c'est agir sur la situation pour la transformer de
telle manière que les personnes qui y sont impliquées puissent
épanouir leur existence. Faire du sens, c'est faire exister.

Mais quand il y a eu mort, disparition définitive — et ce qu'il y a
de terrible dans la mort, c'est précisément de ne plus pouvoir se
faire exister mutuellement — quel sens peut-on encore faire ? Ne
bute-t-on pas là au non-sens absolu, et qui rejette tous les efforts
antérieurs de l'homme dans le non-sens, et qui rejette Dieu
lui-même dans le non-sens ? Car enfin, on veut bien admettre que
Dieu n'est pas concerné directement par tel ou tel événement
particulier, mais il l'est à coup sûr par la totalité de ce monde où se
passent sans cesse de tels événements. On peut sauver Dieu de
l'événement particulier : peut-on le sauver aussi de ce monde de
mort ?

① *Création :* en tout ce qui devient, « indifférente » à la valeur.

④ *Révélation de Dieu :*
— historique : l'événement JESUS, présent dans l'Eglise par Parole et Sacrements.

— interne, universelle : l'ESPRIT dans le cœur des hommes.

② *Monde :* non-intervention,
— sauf les miracles (rares !)
— sauf l'événement JESUS.

Absence de Dieu

| DIEU EST PROCHE DE | L'HOMME | DANS L'EVENEMENT |

⑤ *Accueil* de la présence de Dieu à travers l'absence :

— accueil du Sens, dans la confrontation avec l'événement concret.

— accueil dans la réflexion, la foi, la prière, la célébration.

③ *Autonomie* du monde : libre jeu des forces physiques et morales, science, analyse, technique — projet, agir, subir.

Présence de l'homme

↓   ↓

⑥ *Création de sens* (ou non-sens, ou contre-sens) : libération, service, justice, développement, promotion de présences humaines — ou péché : installation, convoitise, écrasement, violence, repli, abandon, etc.

⑦ Vie confiée à l'homme jusqu'à son achèvement dans la
PAROUSIE :

PRESENCE évidente et rayonnante de Celui qui, maintenant, est le Dieu absent,
LE DIEU QUI VIENT

| Action de l'homme | Action de Dieu |

II

LE DIEU DE LA RÉSURRECTION
ET DE LA PAROUSIE

Enterrement d'un jeune homme de vingt-quatre ans. A l'introduction de la liturgie, le prêtre parle, en touches certes discrètes mais combien incisives en un tel moment, de la volonté de Dieu, de la sagesse impénétrable de la divine Providence « qui a voulu nous faire passer par une telle épreuve ». A l'homélie, deux thèses vont s'affronter : celle de l'expérience et celle de la foi.

L'expérience : la mort brutale d'un jeune homme de vingt-quatre ans est un non-sens insupportable et on ne voit vraiment pas pourquoi Dieu veut ou permet cela. Serait-ce que Dieu est méchant, sadique, aimant à faire souffrir, à faire sentir sa toute-puissance en brisant arbitrairement les projets de l'homme ?

La foi : Dieu est bon, Dieu nous aime. Il faut le croire. Même contre toute évidence : Dieu-est-bon !

Le prêtre n'en dit pas plus. Il laisse donc les gens livrés à ces deux affirmations irréconciliées. C'est les condamner à ne faire aucun progrès dans la foi, à souffrir pour rien, dans le meilleur des cas — ou à sombrer résolument dans la religion : « Que faire désormais pour que Dieu ne s'acharne plus sur notre famille ? » — ou à basculer soudain dans le refus d'un tel Dieu, dans la révolte ou l'athéisme.

Avec cela, il y a bientôt 2 000 ans que Paul a dit que la clef de tout est dans la Résurrection, que notre discours est vide à moins de parler Résurrection (cf. 1 Cor 15, 14-17), que notre foi est vide à moins d'habiter la Résurrection !

Résurrection : existence, sens, au-delà de la mort, plénitude de l'homme vivant par la puissance de Dieu, Parousie (c'est-à-dire Présence, Venue, Rencontre) du Dieu Vivant, étant tombées toutes les médiations qui sont toujours aussi occultations.

Comment réconcilier l'affirmation de l'expérience : «Dieu laisse aller les choses, laisse mourir, parfois brutalement» — avec celle de la foi : «Dieu est bon», sans annoncer la réalisation de cette bonté dans la Résurrection ?

La mort est la limite absolue pour l'action de l'homme : au-delà de la mort, plus de sens à faire, plus personne à faire exister. Mais si cet être s'est dégagé de toutes nos médiations, travaux, soins et tendresses, pour rejoindre, enfin, Celui qui fait vivre, alors, le sens de la mort, c'est de s'ouvrir à la Résurrection. Le sens d'un enterrement, c'est de rendre grâces — «vraiment, il est juste et bon, en tous temps et en tous lieux» — qu'un des nôtres, par quelque événement que ce soit, ait rejoint Celui qui jusque-là n'était que proche, pour naître dans cette Parousie à la vie achevée de la Résurrection.

Un pâle cocktail ou l'eau de la vie ?

Trop de discours consistent encore en un cocktail insipide, propre à la malcroyance. Un grand tiers de religion : les voies mystérieuses de la Providence qui a voulu, qui a permis — Dieu donne et reprend — Dieu a la puissance de la vie et de la mort, etc. Un grand tiers de phrases creuses, dites avec chaleur humaine ou indifférence suivant les cas. Et un tout petit tiers de bonté de Dieu, reste râpé d'Evangile mais parfaitement inassimilable dans un tel mélange.

Il faut cesser de mêler religion et foi. Il n'est plus possible de dire tout à la fois : «Dieu vous envoie ce malheur !» et «Dieu est bon !» Et d'invoquer le mystère pour faire passer un cocktail aussi nauséabond !

Il y avait une fois un architecte, fraîchement sorti de l'Université. On le chargea de la construction d'une villa, dans un endroit merveilleux, entre une rivière et une forêt. Bientôt il ouvrit un chantier, l'endroit en fut complètement gâté : terrassements, chemins boueux, flaques d'eau sale, sacs éventrés, informes bouts de bois, bruits continuels, il y eut même des accidents de travail. Voyant cela, le propriétaire porta plainte contre l'architecte : «Voilà cet homme, qui a étudié pendant des années comment faire du beau et qui ne trouve rien de mieux que de détruire et de polluer le merveilleux terrain que je lui ai confié. »

L'architecte pourra-t-il se défendre, se justifier autrement qu'en évoquant l'avenir ? L'avenir qui est déjà sur son plan, mais encore faut-il savoir le lire ! L'avenir qui sera dans la réalité, la villa achevée, les chemins nettoyés, les gazons refaits, mais encore faut-il aller avec l'architecte jusqu'au bout du chantier ?

Il est fou de vouloir justifier Dieu et sa bonté sans lire correctement son plan, sans aller avec lui jusqu'au bout de son œuvre. Et son plan n'est pas de se laisser utiliser pour notre confort actuel, mais de nous attirer jusqu'à la Vie auprès de Lui. A oublier la Résurrection, il n'est plus possible de parler correctement de Dieu. Car pour maintenant, pour guérir, pour manger à sa faim, pour sortir de prison ou de dépression, pour trouver du travail, Dieu ne fonctionne pas !

L'abscondité de Dieu, c'est le non-sens, la ruine de la religion, l'athéisme — à moins que ce soit le chemin nécessaire vers la Parousie. Dieu absent, discret, seulement proche mais pas plus, pour être ainsi celui qui vient, que je désire, que je cherche, que j'attends et dont je prépare la venue.

La non-intervention de Dieu, c'est le non-sens, la ruine de la religion, l'athéisme — à moins que ce soit la pédagogie nécessaire, indispensable pour que l'homme devienne celui qui lutte pour exister et faire exister : et de cette lutte il tire progressivement sa parole de foi en Dieu qui fait exister au-delà de tout, un jour au-delà de la mort, en Dieu qui ressuscite.

La religion, produit humain, soucieuse donc du bien-être humain actuel, refuse de voir l'abscondité de Dieu, pousse jusqu'aux dernières limites de l'invraisemblable et du ridicule son fol espoir, sa folle entreprise de mettre Dieu au service de l'homme. L'athéisme refuse les humiliations qu'exige l'entreprise religieuse et regarde en face la réalité : le monde n'est pas gouverné par une puissance supérieure, infiniment sage et bonne. Il serait tout autre.

La foi se laisse provoquer par cette même expérience et l'accepte pleinement, sans être déçue, ni renversée dans son sens de Dieu, comprenant que le but justifie l'effort du chemin, que l'absence est préparation de la présence, que la proximité est préparation de la Venue : c'est la seule voie par où peut advenir l'homme dans toute sa grandeur d'*être de désir* et de désir infini. C'est bien la dernière confidence que nous fait la Bible, elle qui doit nous libérer des cocktails et des drogues pour laisser monter en nous la soif du désir : « L'Esprit et l'Epouse (l'Eglise) disent : "Viens, Seigneur !" Que celui qui écoute dise : "Viens !" Et que l'homme assoiffé s'approche, que l'homme de désir reçoive l'eau de la vie, gratuitement. » (Ap 22, 17.)

Gouvernement ou Royaume ?

Le shah s'enfuit de son pays, un règne de trente-sept ans s'écroule ; après un affrontement politique très dur, l'ayatollah Khomeiny publie un communiqué de victoire qui se termine par les mots : Allah est grand ! En fait, qui est grand, Allah ou Khomeiny ? Dieu serait-il engagé dans les luttes du pouvoir humain ? Il appartiendrait alors automatiquement au parti du plus fort, du vainqueur !

Si Dieu gouverne le monde, disposant à sa guise et selon ses plans de tous les événements, alors le puissant trouve sa justification dans son triomphe ; et le faible, le bafoué, apprend de son humiliation que Dieu n'est pas avec lui.

Ainsi va la pensée religieuse, et l'Esprit de Dieu aura besoin de tout l'Ancien Testament pour en dégager, petit à petit, la pensée de Dieu dont le projet n'est pas un gouvernement dans la puissance et la domination, mais un « Royaume » différent, « pas selon les critères de ce monde », mais de « vérité » (cf. Jn 18, 35 ss). Ce dégagement du Royaume de Dieu s'achève en Jésus, dans sa parole et son action, dans ses Béatitudes et particulièrement sur la croix, quand les chefs « religieux » ricanent : « Qu'il se sauve donc, s'il est le Messie, l'Elu de Dieu » (Lc 23, 35). Ah ! que l'homme religieux, naturellement religieux, désire voir le Dieu puissant gouverner puissamment le monde par un roi puissant ! Et quelle déception, et quelle vengeance quand ce Messie est impuissant, simplement « doux et humble de cœur » (Mt 11, 29). On ne criera pas : Jahvé est grand, mais : A mort l'imposteur ! Et pourtant, Isaïe l'avait déjà enseigné : « Moi, Dieu, j'habite une demeure haute et élevée, et c'est pourquoi je suis avec celui qui est broyé et qui se sent rabaissé, pour rendre vie à l'esprit des gens rabaissés, au cœur des gens broyés » (Is 57, 15).

Dieu est différent : il est le « tout-puissant », non pas le plus puissant parmi et avec tous les puissants, mais le « tout-autrement-puissant ». Seule la foi sait percevoir cette différence et nous voulons en tirer quant à la connaissance de Dieu toutes les conséquences qu'elle implique.

1. Le plan de Dieu : tout rassembler en Jésus

L'Ancien Testament est rempli de pages décrivant le gouvernement de Dieu, le plan de Dieu sur son peuple, sur les nations
environnantes et sur le monde entier. C'est lui qui fait la gloire ou
le déclin des rois, perdre ou gagner les batailles, détruire ou
rebâtir les villes, piller ou enrichir les campagnes, libérer ou
conduire en captivité le petit peuple. C'est lui qui décide de la faim
ou de la prospérité, de la santé ou de la maladie, de la pluie ou de la
sécheresse, de la vie ou de la mort : tout, rigoureusement tout est
entre les mains de Dieu et Dieu dispose tout et de tout selon un
plan précis et universel.

Préparé déjà dans l'Ancien Testament, en particulier par les
prophéties de l'Alliance nouvelle, le Nouveau Testament offre un
horizon totalement différent. Dieu n'apparaît plus comme le
grand acteur de l'histoire, le seul acteur au fond, les hommes
n'étant que des marionnettes. Laissant l'histoire à ses forces
internes, Dieu s'intéresse à l'attirer dans son Royaume. Dieu n'a
plus de gouvernement, de politique précise, il ne suit plus l'histoire pour y imposer sa volonté à chaque événement. Il la domine
avec un unique vaste projet qui, dès la création, l'entoure, l'attire
et l'habite, et dès Jésus Christ lui parle, la provoque et l'anime :
« Dieu nous a fait connaître le mystère de sa volonté, le dessein
bienveillant qu'il a d'avance arrêté en lui-même, pour mener les
temps à leur accomplissement : réunir l'univers entier sous un seul
chef, le Christ » (cf. Ep 1, 3-14).

Quand l'Ancien Testament parlait d'un Dieu qui « menait tout
au gré de sa volonté », on entendait le bruit des armées ou le fracas
des orages. Pour le Nouveau Testament, ces mots ne se réfèrent
plus qu'aux événements mystérieux, discrets et intérieurs de
l'histoire du salut. Dieu « mène tout », car il conduit son Christ à la
gloire et en fait la Tête de l'humanité nouvelle. Dieu « mène
tout », car après avoir révélé cette espérance à un peuple, Israël,
il la répand désormais dans le monde entier par l'Eglise universelle. Dieu « mène tout » car il précède, entoure et attire tout
homme et toute l'histoire pour engendrer les frères du Fils
premier-né. (cf. Rm 8, 28-30.)

Pourquoi cette différence entre Ancien et Nouveau
Testament ? C'est une différence dans un processus de progrès
continu, le processus par lequel l'Esprit conduisait l'homme de la

religion à la foi, processus qui avec Jésus fait soudain basculer toute l'ambiguïté antérieure dans une évidence définitive : Dieu n'intervient pas dans l'histoire pour y faire passer un plan de gouvernement, Il attire les hommes du cœur de leur liberté pour les rassembler dans le Royaume de son Fils ressuscité. Dieu ne se veut pas acteur unique de l'histoire. Il la confie et la laisse aux hommes pour qu'eux en soient les acteurs, avec Lui, sous l'attirance de son horizon de vie, de liberté et d'amour.

Pour bien lire l'Ancien Testament, il faut cependant retenir qu'à côté de conceptions encore religieuses, il relate aussi de véritables interventions de Dieu. A travers une longue approche d'événements et de paroles, Dieu y préparait sa grande intervention dans l'histoire : l'Evénement Jésus. Il est certes impossible de faire un partage précis entre ces deux genres : cet événement-ci relève d'un discours religieux, celui-là par contre relève d'une véritable intervention de Dieu. On pourra faire la même réflexion à propos des miracles de Jésus dans les évangiles. Reste cependant que ces deux dimensions existent et qu'elles permettent de lire l'ensemble de la Bible dans son cheminement progressif, mais en percevant bien son aboutissement comme la norme de tout.

L'homme du Nouveau Testament baigne — et pour plusieurs siècles encore — dans une culture préscientifique, parle donc un langage qui ne pouvait pas encore comporter notre critique. Après tout, ce n'est qu'au xxᵉ siècle qu'un concile a pu dire : « L'homme se procure désormais par sa propre industrie de nombreux biens qu'il attendait autrefois avant tout de forces supérieures » (*Gaudium et spes,* 33) — Dieu qui fait le temps, la santé, la prospérité et la paix ! Et ce n'est pas le moindre mérite du Nouveau Testament d'avoir conduit la Bible à une vision si libérée du Dieu de la foi, alors que ses instruments de langage n'étaient pas meilleurs que ceux de l'Ancien Testament.

Ainsi donc, le plan de Dieu, c'est de porter sa révélation à la connaissance de tous les hommes pour les amener à l'obéissance de la foi (cf. Rm 16, 26), les rassembler dans le Royaume de son Fils (cf. Col 1, 13-20) pour participer à sa plénitude de vie.

2. L'ACTION DE DIEU : FAIRE EXISTER ET LAISSER EXISTER

Un tel plan, aussi vaste et infini, peut se réaliser à travers de multiples parcours, et Dieu laisse les hommes aller leurs parcours.

Il n'est écrit sur aucun plan ni décret de Dieu que la Troisième Guerre mondiale aura ou n'aura pas lieu, que la société deviendra atomique ou non, que la culture se répandra ou non dans l'extra-terrestre.

Au niveau personnel, le plan de Dieu m'appelle à la « communion de son Fils Jésus » (1 Co 1, 9), à être « saint et immaculé en sa présence dans l'amour » (Ep 1, 4) : mais cela peut se faire par des voies très différentes et ne cessant jamais de se différencier. Il n'y a pas sur moi une volonté précise de Dieu, m'étiquetant, me programmant. Il y a une grande attirance que je devrai sans cesse — et surtout à certains moments décisifs — incorporer dans toutes mes données concrètes pour en discerner un choix que je pourrai appeler conforme à la « volonté de Dieu ». Mais « la volonté de Dieu, c'est notre sanctification » (1 Th 4, 3) : la concrétisation de cette volonté est entre nos mains. La vocation n'est pas une étiquette mais un dialogue avec Dieu.

L'action de Dieu ne consiste pas à tout faire (ou tout faire faire) sauf quelques bavures, parfois, mais qui ne lui échapperaient pas vraiment puisqu'il les « permet ».

Cette notion de « permission » est devenue particulièrement inutilisable et scandaleuse. Elle implique en effet un monde où, en gros, tout se déroule bien selon le bon plan de Dieu et dans le confort assuré par sa bonté et sa divine Providence. Sauf quelques événements malheureux, quelques points qui, parfois, lui échappent. Mais cela ne fait vraiment pas le poids, et de toute manière rien ne lui échappe vraiment, puisqu'il « permet », ayant toujours en vue un plus grand bien. Le discours religieux ne se laisse pas coincer, en principe tout joue ! sauf l'évidence de l'expérience. Parler de permission, c'est donc parler d'exception, d'exception à une situation très largement réalisée. Mais si l'exception est au contraire le cas normal, la règle générale, si Dieu laisse faire, « livre » (cf. Rm 1, 24.26.28) le monde et l'histoire à leurs propres forces internes, alors il devient vain de parler de permission — l'expérience, le spectacle du monde, en démontrait déjà l'inanité — il faut parler de non-intervention, d'abscondité de Dieu. Dieu fait exister, laisse faire, laisser aller.

3. Une Providence d'inspiration

On a parlé plus haut de cette espèce d'« indifférence » où baigne l'action créatrice de Dieu. Ce terme est trop fort, du côté de Dieu :

son cœur n'est certes pas indifférent à l'emploi que nous faisons de sa création. Mais le mot n'est pas trop fort du côté de l'homme victime, criant pour que Dieu intervienne, qu'il réduise à néant les violents et les bourreaux — sans que jamais rien ne se passe !

Cette même « discrétion » — ce terme est meilleur — Dieu l'utilise dans sa Providence, sa manière d'accompagner les hommes qu'il crée. Ce n'est pas une Providence d'organisation.

Il y a des gens qui voient Dieu comme le Club Méditerranée ! Il suffit de payer le prix et dorénavant tout est assumé par lui. « Dieu dirige mes affaires ! », titre un livre. Mais que dira-t-il de Dieu quand surviendra la récession, ou la maladie ? Et que doivent dire tous ceux — et ils sont foule — qui ne sont ni riches, ni heureux, ni aimés, ni en bonne santé ? Et ceux qui ne l'ont jamais été et ne le seront jamais ? Au Club Méditerranée, quand la cuisine n'est pas bonne, c'est l'émeute !

Mais une Providence d'inspiration ! Quand c'est organisé par un autre, on trouve les choses toutes faites, on remercie — les premiers temps du moins — et on s'infantilise ! Un père digne de ce nom se garde bien d'infantiliser. Inspirer — plutôt qu'organiser — c'est l'action propre de Dieu, après avoir créé. Il y a donc comme deux couches inséparables : d'abord *créer*, donc faire exister pour laisser exister — puis *inspirer*, accompagner l'homme créé, lui faire pressentir, puis sentir, puis goûter la Vie de Dieu et le rendre ainsi motivé, désireux et capable d'agir. Pour collaborer avec Dieu à sa création. Pour prendre des initiatives. Pour se mettre à « agir dans la justice et aimer avec tendresse » (Mi 6, 8). La Providence n'organise pas, elle inspire des acteurs et c'est par les médiations humaines qu'elle est finalement efficace pour tel homme ou telle situation. C'est par le Samaritain que Dieu prend soin de l'homme victime des brigands. La parabole ne le dit pas, mais il est fort probable que le prêtre et le lévite n'ont pas manqué, en une prière fervente, et tout en poursuivant leur chemin, de confier ce pauvre homme à Dieu !

Dieu est et reste proche de l'homme qu'il crée. Mais pas pour en faire l'exécutant de son plan, ni pour l'infantiliser, ni même pour être le bouche-trou assuré dès qu'une déchirure, trop profonde pour l'homme, s'est faite dans le réseau de ses projets et de ses activités.

Proche pour inspirer. Le père enseigne : « Ils seront tous enseignés par Dieu » (Jn 6, 45, citant Is 54, 13 ; cf. aussi Jr 31, 33). Le Fils attire et éclaire tous les hommes (Jn 1, 9 et 12, 32). Et l'Esprit, révélant l'amour de Dieu (cf. 1 Co 2, 9-12), libère en l'homme une manière d''être : «charité, joie, paix, endurance, serviabilité, bonté, confiance, douceur, maîtrise de soi» (Ga 5, 22 s).

Mais c'est à l'homme qu'il revient de donner formes concrètes et historiques à cette inspiration de Dieu, dans la mesure, devenue immense au xxᵉ siècle, de son information, de sa connaissance et de ses moyens.

Qu'est-ce que prier pour le tiers monde ? Qu'est-ce que prier pour mon voisin, mon ami ?

Providence de Dieu pour le monde entier, comme pour son Eglise. Là aussi, pas de miracles, pas du tout fait. Dieu donne à l'Eglise des hommes (cf. Ep 4, 7) ; avec les dons naturels qu'ils possèdent, Dieu les habite par son Esprit et par sa Parole pour qu'ils prennent goût à donner corps à l'Eglise. Mais ils deviennent les intendants d'une multiple grâce de Dieu, chacun pour sa part et les uns pour les autres (cf. 1 P 4, 10). Et qui dit «intendant» dans le langage évangélique, dit aussi «maître absent» et qui a confié la maison à ses serviteurs durant son absence.

4. Une connaissance de bienveillance attirante

On parlait un jour de la liberté de l'homme, dans une classe. Sur les vingt-deux jeunes filles, pas une ne croyait l'homme libre. Toutes se reconnaissaient au contraire parfaitement dans l'image suivante : la vie c'est comme au théâtre ; chaque acteur, si vivant soit-il, ne fait jamais que réciter son rôle.

Elles avaient appris la leçon de la religion : Dieu sait tout, le passé, le présent et l'avenir. Si bien appris et retenu qu'elles en tiraient la seule conclusion possible : si Dieu connaît mon avenir, même le plus lointain, c'est donc qu'il existe déjà quelque part, dans la pensée, dans les décrets de Dieu — et s'il existe déjà, il ne dépend plus de moi, je ne suis pas libre, j'ai un rôle.

Toutes affirmaient — et refusèrent d'en démordre : la vie n'est qu'une apparence de liberté, en fait chacun joue un rôle déjà pensé par un autre, Dieu.

«Les mariages sont faits dans le ciel.» — «C'était son heure.» — «C'était écrit.» Dans la peur face aux grands événements, aux grands choix, au grand vide de la mort, il est certes bon, humain, naturel, de pouvoir se dire : je n'y suis pour rien, cela ne dépend

pas de moi, c'est pensé, prévu par un autre. Quel soulagement !
Mais quelle démission aussi ! Quelle aliénation !

Religion et omniscience déterministe

L'omniscience de Dieu est une pièce maîtresse de la religion
humaine, et c'est l'un des points où la foi a le plus de peine à se
faire entendre. Ainsi, la foi comporte essentiellement la liberté,
la collaboration, la responsabilité, la dignité d'un « marcher-
avec-Dieu ». La plupart du temps, les gens font, ici aussi, le
cocktail de la malcroyance : pour les occasions banales, quotidiennes, on veut bien retenir de la foi que l'on est libre, coac-
teur et responsable. Mais dès que surgit le vertige d'une grande
décision, d'un passage décisif, la religion est seule à fonctionner.

Car le propre de la religion, de cette relation humaine spontanée, naturelle, avec le Puissant, c'est de faire de ce Puissant le
seul Acteur réel de l'histoire. Celui devant qui il faut nous faire
valoir pour obtenir que son Gouvernement nous favorise. Mais
Dieu est, au fond, et par-delà la banalité du quotidien qu'il veut
bien nous laisser, le seul Acteur réel ; pour dominer toutes
choses de son gouvernement, il faut que Dieu connaisse tout.
Que tout s'étale devant lui, l'Eternel, l'Immuable, l'Absolu. Le
monde, ni le temps ne lui apportent rien, ne sauraient lui
apporter quelque chose, sans du même coup le limiter. A moins
de tout connaître, son gouvernement ne serait pas absolu ; il
pourrait s'égarer ici, se tromper là, faire un mauvais choix, se
laisser surprendre par une situation non prévue, réagir hâtive-
ment : autant d'actions indignes du Puissant infini.

Non, le Puissant sait tout pour pouvoir tout gouverner. Le
temps ne lui apporte rien, car Dieu est l'Immuable et il contient
tout. Tout photographe le sait : quand on développe un film, il
faut un certain temps de réaction chimique jusqu'à ce que
l'image apparaisse. Mais l'image qui apparaît est exactement
celle qui a été imprimée sur la pellicule. Le temps de réaction
ne crée rien de neuf : il ne fait que révéler ce qui était déjà
imprimé. Ainsi du temps et de l'histoire : on n'y fait jamais que
le « développement » des grands décrets de Dieu. Telle est la
pensée religieuse. Le grand Photographe peut se rassurer : rien
ne lui échappera, il ne sera jamais rien produit de nouveau.

Dieu laisse l'homme à son conseil

Tout autre se révèle le Dieu de la foi. Il est le Tout-autrement-puissant, il ne désire donc pas tout gouverner en dominant tout, en s'imposant comme le seul grand Acteur de l'histoire.

Certes, sur ce plan également, l'Ancien Testament est rempli d'affirmations qui relèvent encore de la religion. Autant pour l'individu que pour les nations, c'est le déterminisme le plus complet : de sa demeure éternelle, Jahvé voit tout, connaît tout, dirige tout. Mais sur ce fond religieux, d'autres affirmations apparaissent et l'emporteront définitivement dans le Nouveau Testament. L'histoire devient alors un espace de liberté, de création et de combat, laissé et confié à l'homme.

Il faut retenir ce que le Siracide perçoit de la liberté de l'homme et surtout sa manière tout à fait surprenante de la fonder précisément sur la Toute-puissance de Dieu.

> C'est Dieu qui au commencement a fait l'homme
> *et il l'a laissé à son conseil.*
> Si tu le veux, tu garderas les commandements :
> rester fidèle est en ton pouvoir.
> Devant toi, il a mis le feu et l'eau,
> selon ton désir, étends la main.
> Devant les hommes sont la vie et la mort,
> à leur gré, l'une ou l'autre leur est donnée.
> *Car* grande est la sagesse de Dieu,
> il est tout-puissant et voit tout.
> Ses regards sont tournés vers ceux qui le craignent,
> il connaît lui-même toutes les œuvres des hommes.
>
> (*Ecclésiastique,* 15, 14 ss.)

Dieu laisse l'homme « à son conseil », l'homme est donc libre, il n'est pas déterminé d'avance à tel ou tel rôle, l'histoire entière n'est pas programmée d'avance par Dieu, son créateur cependant. Mais Dieu agit ainsi — et cette logique bouleverse la religion — *parce qu'*il est tout-puissant. S'il était seulement très puissant, le plus puissant des puissants, alors, comme eux, il devrait dominer. Comme les rois, il devrait faire des hommes ses courtisans, les exécutants de ses desseins. Et c'est ce que pense spontanément la religion, projetant sur Dieu les comportements des grands de la société.

Dieu, au contraire, est unique, différent, tout-autrement-puissant. Il n'a donc pas à défendre sa puissance : libre, suprêmement libre de ce point de vue, il peut aussi libérer la liberté de l'homme. De la domination d'un gouvernement, il peut passer à l'attirance d'un Royaume de liberté, de confiance, de collaboration, de reconnaissance. Et d'amour. Avec le risque, souvent réalisé, de la méconnaissance, de la violence des puissants, de l'écrasement des petits, du mépris de la liberté, tout ce qui est le péché. Mais cela constitue une histoire réelle, balancée constamment entre « la vie et la mort », entre « l'eau et le feu », une aventure où les désirs de l'homme peuvent prendre corps, peuvent un jour découvrir et choisir le Désir de Dieu : les rassembler tous en sa Maison, au terme de leurs vies, au bout de leurs chemins et au-delà de leurs impasses.

Et les y attirer en participant à leur histoire.

Dieu devient avec l'histoire

« Et alors, Dieu sera tout en tous » (1 Co 15, 28). Dieu sera ! Il s'agit du Père en personne. Pas du Fils : lui qui s'est incarné, est donc entré dans notre devenir. Pas de l'Esprit, entraîné par Jésus dans l'histoire, habitant désormais le désir d'achèvement de l'humanité : « L'Esprit et l'Epouse disent : Viens » (Ap 22, 17). Non, il s'agit du Père, du Dieu par excellence, dans toute la plénitude intangible de son mystère : il y a pour Dieu un futur, donc un avenir, donc un devenir. Il sera !

Là encore, la religion ne suit plus. N'est-il pas indigne, antimétaphysique, de penser Dieu autrement que comme l'être immuable, que rien ne saurait enrichir, épanouir, dilater ?

Le temps, l'histoire, l'humanité et chaque homme pourraient apporter à Dieu la plénitude qu'il désire ? La foi le croit, qui vit de l'alliance dont Dieu a pris l'initiative. L'Eternel, l'Immuable, celui dont l'être est pleinement réalisé dans une communion de lumière avec le Fils dans l'Esprit : l'Eternel a fait alliance avec le temporel. Dès la création, c'est une aventure commune qui a commencé, entre partenaires authentiques, non pas égaux cependant : Dieu et l'homme. L'Incarnation du Fils est le point culminant de ce mystère, sa réalisation définitive, irréversible et sa révélation.

Ainsi donc, l'Eternité n'annule pas le temps. Le temps n'est pas le « développement », parfaitement ennuyeux pour le grand Solitaire éternel, de ses seuls décrets. Dieu vit avec nous, s'intéresse à nos réussites, inspire nos imaginations créatrices. Sans devenir jamais le superman intervenant chaque fois qu'il y a danger, drame ou iniquité, il accompagne chaque être pour l'attirer vers la plus grande mesure d'existence et de don, de générosité et d'action. Vers la plus grande capacité de divinisation, de filiation divine, de rassemblement autour du Fils Jésus.

Rien donc n'est acquis d'avance. Tout surgit nouvellement dans cette merveilleuse, obscure, aventureuse imbrication des êtres et des situations, créée et animée sans cesse par la Vie de Dieu.

Et ce n'est pas faire injure à Dieu que de le voir ainsi dépendre de l'histoire. C'est lui-même qui a voulu s'y immerger, faire corps avec elle. L'injure, ce serait de ne pas le reconnaître. Et l'Evangile est rempli de gens qui défendent leur notion religieuse de Dieu, et crient au blasphème alors que le Seigneur est là, au milieu d'eux pour se révéler tel qu'il est réellement : «Qui me voit, voit le Père !»

Dieu regarde le cœur

Dans la vision religieuse déterministe, l'omniscience divine est ressentie par l'homme de différentes manières. Dans une démission et un soulagement infantilisants : «Dieu s'en occupe !» Dangereuse aussi cette démission : si tous les événements, toutes les situations acquises sont le fruit d'un décret de Dieu, la porte est ouverte aux justifications les plus aberrantes. On a justifié ainsi par la Bible la domination asservissante de l'homme blanc sur les hommes de couleur.

Ou comme une fatalité écrasante, à laquelle on se résigne généralement : «Que voulez-vous ? Un autre dirige nos vies !» Comme un décret auquel on pourrait peut-être obtenir une petite exception : «Si j'offre mon fils premier-né, peut-être reviendra-t-il de sa colère, de son acharnement sur nous !»

Mais surtout comme un Œil qui élimine tout secret, viole toute intimité, détecte et note la faute dès son premier germe. Vivre en examen perpétuel. Me sentir objet d'observation, devenir objet sous cet Œil de comptable.

Ou alors, soudain, désirer exister, laisser monter mon propre désir pour pouvoir m'y reconnaître. Et tuer Dieu. Ou du moins le quitter. Et rechercher vraiment le Regard qui me regarderait autrement, le Regard qui reconnaît, accueille et fait exister.

Il y a un merveilleux psaume où un homme parle de sa lutte pour découvrir le Regard de Dieu, et pour apprendre à se laisser regarder par Dieu, dans la foi et la prière. C'est le psaume 139.

Au départ, l'œil viole et fige, prescience qui détermine et annule toute existence humaine.

> Dieu, tu me sondes et me connais,
> Tu perces de loin mes pensées.
> La parole n'est pas encore sur ma langue,
> et voici, tu la sais tout entière.
> Mes actions, tes yeux les voyaient,
> toutes, elles étaient sur ton livre ;
> mes jours, inscrits et définis
> avant que pas un d'eux n'apparût.

La surveillance par télévision dans les grands magasins, les plus folles prévisions des romans-fiction sur la société policière de l'ère postatomique ne sont que jeux d'enfant à côté. On trouvera toujours un petit coin pour échapper à la caméra, tandis que

> l'Œil était dans la tombe et regardait Caïn.

L'homme va donc se révolter ou du moins tenter d'échapper à l'Œil :

> Où irai-je loin de ton esprit,
> où fuirai-je loin de ta face ?
> Si j'escalade les cieux, tu es là,
> qu'au shéol je me couche, te voici.
> Je dirai : « Que me couvre la ténèbre,
> que la lumière sur moi se fasse nuit »,
> mais la ténèbre n'est point ténèbre devant toi,
> et la nuit comme le jour illumine.

Il y a dans ces mots les échos d'une révolte passée, d'une tentative d'échapper à l'Œil. Mais le psalmiste en a vu la vanité. Par quel cheminement ? Le poème ne fait qu'en chanter l'aboutissement. Le religieux est devenu croyant, l'Œil s'est fait Regard, le Livre de Dieu où tout est inscrit d'avance a fait place au Chemin de l'homme, chemin dangereux, non banalisé, à inventer constamment. Mais, sur cet homme en chemin, le Regard : et l'homme s'offre à lui, le supplie de ne pas regarder ailleurs, car il est le seul à faire exister, éternellement.

> Sonde-moi, ô Dieu, connais mon cœur,
> Scrute-moi, connais mon souci ;
> Vois que mon chemin ne soit fatal,
> Conduis-moi sur le terrain de l'éternité.

La connaissance de Dieu dans le respect du temps

En faisant maintenant la somme de toutes ces données, est-il possible de situer concrètement la connaissance de Dieu ?

L'interprétation religieuse dure et pure décrit la connaissance de Dieu d'une manière telle qu'elle implique des conséquences totalement déterministes pour l'homme. On le verra encore plus loin en parlant de prédestination et de réprobation. Tout est écrit, toute la réalité est déjà en Dieu, l'homme n'a que les apparences de la liberté ; en réalité, et pour tous les faits importants de sa vie, il n'est qu'un exécutant. Le mécanicien de locomotive peut bien se nommer conducteur : il roule sur des rails et en des temps strictement mesurés et programmés par un ingénieur.

Puis, une fois de plus, il y a le cocktail de la malcroyance : beaucoup de religion, un peu de foi. De la religion, on retient tout. De la foi, on retient la liberté de l'homme, mais surtout dans le but de maintenir sa responsabilité, donc son péché. Comment concilier dès lors l'omniscience divine et la liberté humaine ? On connaît l'image classique : Dieu, du haut de son éternité, peut observer l'homme en sa place actuelle, son passé derrière lui et tout son avenir devant lui — et la présence de cet observateur divin n'empêche pas qu'à son niveau l'homme avance librement. Et voilà !

Mais le temps n'est pas l'espace. Mon passé n'est pas quelque chose que j'ai laissé derrière moi. Mon avenir n'est pas quelque chose que je vais rencontrer sur ma route, en avant du point où je me trouve maintenant.

Mon passé, je le porte en moi, c'est ce que je suis devenu à travers mes actes successifs. Mon avenir n'est pas « devant » moi, au sens spatial du terme. Il est caché en moi, il est constitué des actes que je produirai de moi-même. Les décisions que

je « prendrai », je ne les ramasserai pas au bord de la route, là
où elles m'attendent, non, je les produirai de moi-même.

C'est une question de langage : si je dis que maintenant Dieu
connaît ce que je ferai dans vingt ans, cet avenir, puisqu'il est
connu, a déjà une réalité. Il ne dépend plus de moi, la conclusion déterministe est inévitable, avec toutes ses conséquences
navrantes pour l'image de Dieu et pour la conception de
l'homme. Certains s'arrangent fort bien pour tenir ce langage
sans en tirer ces conséquences. Il reste cependant un divorce qui
produit le plus souvent la malcroyance, se résout dans
l'athéisme et encombre l'accès à la foi.

Dialogue entre un prêtre et un homme qui, dans la certitude
d'être sans travail dans trois mois, prévoyait de devoir se recy-
cler dans une autre profession et changer de région. Cette
perspective l'angoissait :

« Que serai-je dans deux ans ?

— Dieu le sait !

— Il ne me reste donc plus qu'à le deviner, ça me fait une
belle jambe ! »

Si Dieu le sait, il ne reste plus à l'homme qu'à le deviner et à
l'exécuter. Ou ajouter encore à son angoisse celle de ne pas
correspondre un jour à la volonté de Dieu. Ou essayer d'arracher à Dieu l'intervention qui vienne arranger ses affaires.

Pourquoi cet avenir ne serait-il pas quelque chose que Dieu et
l'homme vont faire ensemble, Dieu se réjouissant de voir ce que
cet homme, ayant vaincu son angoisse en puisant dans son
Amour, va réussir à produire comme vie nouvelle dans l'histoire ?

Il faut donc trouver un langage qui reste fidèle à l'alliance,
qui ne dissolve pas le temporel au profit de l'éternel. Notre
langage sera certes toujours fait comme nous-mêmes d'espace et
de temps. Il est donc impossible de dire Dieu correctement. Il
faut au moins le dire de telle manière qu'avec lui et selon sa
parole on dise l'homme correctement.

Quand on transforme le temps en espace, quand on étale le
temps sous l'œil de l'observateur éternel, le langage n'est pas
correct. Le réel, c'est ce qui est maintenant. Ce réel-maintenant
comporte des hommes temporels et Dieu éternel. Dieu se saisit,
se connaît pleinement dans son acte : il n'a donc pas besoin de
faire sans cesse un autre acte pour compléter le précédent. En
lui, pas de succession ! Pour l'homme, chaque acte est partiel et

tend vers le suivant : Dieu est, l'homme devient ; Dieu est éternel, l'homme temporel.

La réalité, c'est à chaque instant l'acte de Dieu et l'acte humain, l'acte éternel et unique et l'acte temporel plongé dans la succession. La réalité, ce n'est pas l'acte de Dieu et tous les autres actes temporels étalés devant Lui, d'un bout à l'autre de l'histoire. Mais seulement l'acte de Dieu et l'acte présent de l'homme : ce sont les deux seuls qui existent, maintenant.

Parler autrement, c'est annuler le temps par l'éternité. Dieu est celui qui crée l'histoire pour la faire exister, non pour la rendre vaine.

Ce qui n'est pas encore, l'avenir, n'est pas quelque chose de réel, placé dix ans en avant, que l'homme, dépassant de peu les marguerites, ne saurait apercevoir, mais que Dieu, de sa hauteur éternelle, pourrait observer en cet endroit de son parcours qui échappe encore à l'homme parce qu'il n'y est pas encore arrivé.

Ce qui n'est pas encore, n'est pas du tout, n'est rien du tout. Et *rien* n'est pas, pour personne, un objet de connaissance, même divine. « Rien », c'est « rien » !

Ou alors, et pour un avenir moins lointain, ce qui n'est « pas encore », est cependant déjà en chantier, ou est déjà décidé, ou représente une possibilité envisagée, ou est une éventualité contenue dans l'évolution actuelle, etc. Il y a de nombreux degrés du « pas encore » qui le font déjà participer à la réalité, s'approcher de la réalité. Qui le rendent de plus en plus réel, donc connaissable. Et surtout par Dieu, car le Créateur n'a pas besoin comme nous d'enquêtes, d'analyses, de prospectives pour percevoir l'avenir que porte en elle la réalité actuelle. Nos conditionnements, nos possibilités, nos fragilités, nos désirs, nos projets encore secrets, même pour nous-mêmes parfois, Dieu les « voit » : c'est en lui que plongent les racines de toute existence. Et autour de nous, les rencontres qui se préparent, les convergences de pensées et de cœurs, de violence et de cupidité, toutes ces interférences qui font ou défont les existences, les groupes, les sociétés, les nations : Dieu n'a pas besoin d'un ordinateur pour les rassembler. Dieu voit tout. Tout ce qui existe !

Mieux, il le *regarde* et son Regard est bienveillance attirante, animation par l'Esprit, attention et appel pour tout ce qui est encore caché et riche d'avenir, refus et sollicitation contre tout ce qui est faux, pardon et accueil pour toute reprise, conversion et effort de vie.

C'est sur les chemins de cette alliance qu'à travers le temps, notre temps, notre histoire, mais aussi son temps et son histoire, Dieu *devient,* selon son projet, « tout en tous ».

5. LA PRÉDESTINATION SALVIFIQUE UNIVERSELLE

Merveilleuse prédestination de Dieu, indispensable enracinement de nos existences dans la merveilleuse prédestination de Dieu ! Et voilà que la religion en a fait le sommet de l'horreur et de l'inadmissible, le masque de Dieu le plus dur, la quintessence du viol et de l'inanité de l'existence humaine face à Dieu.

Les avatars de la prédestination

La religion voit Dieu en projetant sur lui les comportements humains des puissants. Chacun rencontre autour de soi des têtes qui lui reviennent et d'autres qui ne lui reviennent pas. Mais quand il s'agit d'un puissant, alors il y aura autour de lui les favoris, profitant de sa grâce et de ses faveurs — et les autres, les tombés en disgrâce ou ceux qui n'ont jamais su plaire, qui sont repoussés, privés de tout et abandonnés à leur misère. Grâce et disgrâce partagent les hommes autour du puissant selon son bon plaisir, et ce partage est sans appel.

Combien plus terrible, plus irrévocable, plus impénétrable sera le partage que fait autour de lui le Tout-puissant selon son plaisir ! Elus et maudits, prédestination et réprobation, ciel et enfer ! C'est le sommet du déterminisme : ce n'est pas seulement pour la vie et ses étapes principales, non c'est aussi pour l'éternité que Dieu, selon son bon plaisir éternel, dispose tout et de tout.

Ici encore, on a essayé avec le cocktail. A la religion, on ajoute un peu de foi : on corrige l'odieux du seul bon plaisir de Dieu, en précisant bien que c'est en prévision des mérites ou des péchés des hommes, car Dieu sait tout l'avenir — c'est donc en toute équité que les uns sont prédestinés et les autres réprouvés.

Et voilà le tableau ! Il y a donc des hommes marqués P (comme prédestination), d'autres marqués R (comme réprobation). D'en haut, Dieu regarde, il est le seul à distinguer les P des R. Et je le vois plein de tendre ironie ou de froide pitié — c'est selon — au spectacle d'un R s'efforçant de bien agir ou d'un P se lançant dans l'athéisme militant. On comprend que la religion conduise un jour

les hommes à penser que « si Dieu existe, l'homme n'est rien » —
et que si l'homme veut exister, il faut que Dieu meure. Sur ce
chapitre de la prédestination, la violence, tant de la vision
religieuse que de la réaction athée, laisse les gens dans l'embarras.
C'est un endroit où l'on n'ose plus aller. Il y a trop de cadavres
dans ce placard, des hommes morts, et même Dieu mort : on ne
l'ouvrira plus. La malcroyance va simplement taire le sujet.
Silence et oubli sur la prédestination !

Pour que le chant ne cesse pas

Mais si l'on tait la prédestination, qui donc pourra encore
chanter avec l'Eglise du Nouveau Testament et sur la mélodie de
l'Esprit, les grandes hymnes de Rm 8, 28-39 et 16, 25-27, Ep 1,
3-14, Col 1, 12-20 et 1 P 1, 3-9 ? Qui donc bénira encore le Dieu et
Père de Notre Seigneur Jésus Christ de l'avoir béni en le prédesti-
nant à devenir fils auprès de lui dans l'amour (Ep 1, 3 ss), à entrer
dans la multitude des frères rassemblés autour du Premier-né
(Rm 8, 29) ?

Si l'on se met à oublier la vraie prédestination, ou c'est
l'athéisme, l'absence de toute relation à un autre qui me précède
— ou c'est la régression dans la « religion des œuvres », dans la
« postdestination » : si je travaille bien, le ciel sera ma récompense. C'est après (*post*) avoir constaté mes bonnes œuvres que
Dieu me destine au salut. Je ne vois pas pourquoi je lui serais
particulièrement reconnaissant : il a simplement appliqué le
Code !

La reconnaissance, la joie de vivre est liée absolument à la
prédestination. Les hymnes du Nouveau Testament en témoi-
gnent. Ainsi Ep 1, 3 ss. Ce chant relève de ce que nous avons
appelé plus haut : la troisième phase de l'expérience de la foi, celle
de la reconnaissance.

Connaissance et re-connaissance. Je reconnais que j'ai été
connu. Quelqu'un s'est approché de moi pour me connaître, pour
me révéler donc à moi-même du même coup, et je reconnais, je
connais en retour celui qui m'a connu en premier. Peut-il y avoir
de la joie ailleurs ou autrement, entre les hommes comme entre
l'homme et Dieu ?

La prédestination, c'est l'Amour qui me précède, qui m'investit, qui me forme, qui m'attire, de par lui-même, et pour le goût de
me faire vivre, et avant même que je le sache et que j'en prenne

conscience. La prédestination, c'est la terre où l'arbre plonge ses racines, c'est le soleil déjà là et qui nous attire à sortir du brouillard.

Un enfant se met vers six-sept ans à entrer dans une relation raisonnable avec ses parents : il découvre alors qu'un comportement aimable rend ses parents aimables. Mais surtout il doit découvrir que ses parents l'ont aimé avant qu'il fût aimable, l'ont aimé pour qu'il puisse devenir aimable, l'ont aimé parce qu'ils le voyaient déjà tel qu'il deviendrait : aimable. L'amour des parents prédestine l'enfant à la vie : ce sont là ses meilleures racines.

Ainsi de notre Dieu et Père. Nous émergeons un jour dans un espace *déjà* habité et réchauffé par un Amour infini et dont le Projet nous ouvre un horizon d'existence infini. Et le jour où nous émergeons, éclate alors notre joie, et notre hymne de reconnaissance. La prédestination, c'est le soleil de la liberté.

Et il n'y a pas de réprobation à côté de la prédestination. Pas de partage de l'humanité en P et en R. Il n'y a en Dieu que volonté salvifique.

Celui qui lit un jour les chapitres difficiles de Rm 9-11, aura d'abord l'impression du contraire. Il semble que la pensée y soit dualiste : Dieu hait l'un et aime l'autre, endurcit l'un et fait miséricorde à l'autre, traite l'un comme vase de colère, l'autre comme vase de miséricorde. Mais ce dualisme apparent est définitivement dépassé par la finale de tout ce développement, la volonté salvifique de Dieu y apparaît clairement dans son universalité : « Dieu a enfermé tous les hommes dans la désobéissance, pour les prendre *tous en sa miséricorde* » (11, 32). Mais ce passage à la Miséricorde, cet accès à la révélation se fait en des temps et par des étapes différentes, les uns maintenant, les autres plus tard. C'est le cas pour Paul, au moment où les croyants venant d'Israël voyaient, pour leur scandale, le peuple juif, dans sa grande majorité, basculer dans l'incrédulité, tandis que les païens, les incroyants d'autrefois, accédaient au Christ. Pour apaiser ce scandale, Paul montre que déjà souvent dans l'Ancient Testament, certaines situations précises comportaient ces deux catégories : les uns dans le refus, les autres dans la foi, les uns dans l'endurcissement, les autres dans la révélation. D'où un dualisme apparent : ce n'est en fait qu'une situation momentanée. Il n'empêche que tous — mais à des étapes et par des cheminements différents — *tous* sont prédestinés, tous existent sous le signe de l'amour, personne n'est réprouvé.

Pour que vive l'aventure

Sans réprouver positivement certains, Dieu ne sait-il pas dès maintenant ceux qui seront sauvés et ceux qui seront damnés ? Connaissance divine de ce qui n'est « pas encore » : parler ainsi, c'est annuler le temps, c'est annuler l'apport réel que Dieu, dans son alliance, attend des hommes dans le temps.

Puisqu'il y a alliance, puisqu'il y a une œuvre de vie qui est en train de se faire avec nous, son résultat n'est « pas encore » acquis. Le Christ est en train de grandir vers sa stature d'Homme achevé (cf. Ep 4, 12), Dieu est en train de devenir tout en tous, l'humanité est en train d'avancer, même péniblement, vers son rassemblement dans le Fils, chaque homme est en train de grandir vers le plus grand désir de vie et donc de Dieu, vers la plus grande capacité de divinisation et de résurrection. La mesure exacte de l'achèvement n'existe pas encore. Tout est encore « en train » !

« Seigneur, est-ce le petit nombre qui sera sauvé ? » — « Efforcez-vous d'entrer par la porte étroite... » (Lc 13, 22 ss).

La révélation ne vient pas nous apporter un reportage par anticipation prophétique sur le résultat de l'histoire : 18 % d'élus, 40 % de damnés, 42 % dans les limbes. De l'avenir rien n'est acquis. Il n'est pas acquis, ni de foi ni autrement, qu'il y aura des damnés en enfer. La seule chose qui est acquise, c'est l'alliance actuelle entre un Dieu sauveur universel et une histoire en train de se faire péniblement.

Et la révélation refuse toute question de curiosité et qui relève d'une pensée déterministe ; elle renvoie l'homme à l'actualité de sa vie, le seul endroit où se fait quelque chose : le combat de sa propre existence. C'est pourquoi la révélation ne dit que l'essentiel pour prendre goût à cette aventure de la vie et la prendre à cœur.

1. Elle nous dit d'abord que Dieu est puissance de vie pour l'homme, volonté de faire vivre et de sauver, que lui seul sauve. Ainsi l'aventure de l'homme se place sous le signe de la confiance, de l'espérance et de l'amour. Sous le signe de la foi, en un mot. L'homme peut sortir de la méconnaissance de Dieu, il n'a pas à essayer désespérément de faire valoir sa propre justice contre le Dieu ennemi : Dieu sauve.

2. Elle nous dit ensuite et inséparablement que l'homme doit accueillir et prolonger activement dans le monde la vie qu'il reçoit de Dieu. Sans cette deuxième affirmation, l'homme s'établirait dans le quiétisme, le laisser-aller. Au contraire, l'homme peut refuser. Et l'amour de Dieu n'est vraiment perçu et reçu que quand il est prolongé activement et concrètement vers les autres. Sinon, l'homme s'établit dans le mensonge (cf. 1 Jn 4, 20).

3. Mais cette deuxième affirmation risque alors d'annuler la première et de replonger l'homme dans la panique religieuse de ne pas y arriver, de ne pas suffire à l'exigence de Dieu. Il y a donc encore une troisième affirmation, synthèse des deux premières et qui redonne la priorité à Dieu : Dieu peut sauver l'homme du pire refus, du pire endurcissement, il peut le séduire, se révéler à lui et libérer son désir pour qu'il se porte vers Dieu. Dieu attire.

Ainsi, rien n'est acquis, tout reste ouvert, l'aventure est lancée. Comme la marche de l'homme, c'est un équilibre à chaque pas rétabli. L'équilibre de l'alliance entre les deux partenaires, Dieu et l'homme, partenaires inégaux certes mais dont le plus fort n'annule pas le plus faible.

Le vice profond de la religion : Dieu annule l'homme. Par son gouvernement puissant, son omniscience déterministe, son action intervenante, sa providence organisatrice, sa prédestination dualiste, le Dieu de la religion annule l'homme par tous les bouts de son existence.

Le vrai Dieu se révèle au croyant en sa « philanthropie » (Cf. Tt 3, 4). Un royaume de liberté et de pouvoir pour l'homme, une connaissance qui est regard amical et attirant, une providence d'inspiration dans un contexte d'abscondité, une prédestination salvifique et universelle : car la gloire de Dieu, c'est l'homme vivant.

6. Un monde en chantier

Un jour, Jésus et ses disciples rencontrent un aveugle de naissance. Question des disciples : « Qui a péché, lui ou ses parents ? » On est en pleine religion : Dieu est dans l'événement dont il dispose librement. Si l'événement est mauvais, la Sagesse et la Justice de Dieu laissent donc inévitablement conclure à la présence d'un péché qui a mérité cette punition. Où serait sinon le gouvernement de Dieu ? Mais l'alternative est encore plus hardie, et engage la préscience de Dieu : l'aveugle pourrait être né tel en prévision de ses futurs péchés !

Attitude caractéristique de l'interprétation religieuse des événements : on cherche dans le passé de quoi expliquer l'événement actuel, lui donner un sens. La question religieuse, c'est : *pourquoi*? Pourquoi, mon Dieu, cette mort? pourquoi cette maladie? Jésus, une fois de plus, balaie la religion : «Ni lui, ni ses parents. Mais il est aveugle pour qu'en lui se manifestent les œuvres de Dieu» (Jn 9,1-3).

En passant de la religion à la foi, on passe du passé au futur, du «*pourquoi?*» au «*pour quoi?*» (vers quoi?) : la source de sens, c'est l'avenir. L'avenir de la Résurrection : si le Christ n'est pas ressuscité, notre parole est vide, notre foi est vide (cf. 1 Co 15, 14).

Pourquoi le mal physique?

Telle est la question où s'écorche lamentablement la religion, en attendant que l'athéisme l'abandonne à ses contradictions et à ses sophismes.

Beaucoup de choses ont été dites sur ce sujet, dans le genre du fameux cocktail : beaucoup de religion et une pointe de foi. L'essentiel de la réponse religieuse : la souffrance existe parce que l'homme doit «payer». *Payer*, n'est-ce pas l'action déterminante dans la relation entre puissants et faibles. Les vrais mécènes sont rares parmi les puissants et leur faveur reste très limitée. Avec rien, on n'a rien !

L'homme doit *payer*, voilà pourquoi il souffre. Payer d'abord pour le passé. Le plan primitif de Dieu ne comportait aucune souffrance pour l'homme. Dieu a créé un monde merveilleux où l'homme serait merveilleusement heureux. Mais le premier homme a péché et ce péché, à l'origine de l'humanité, a mérité la punition de Dieu : souffrances et mort feront partie désormais de l'existence de l'humanité tout entière. Chaque homme souffrira et mourra pour «payer» la faute de l'ancêtre.

La référence biblique, c'est le deuxième récit de la Genèse : si tu n'obéis pas, tu mourras (2, 17) et parce que tu as désobéi, tu souffriras (3, 14-19). Et on trouve que cette explication justifie pleinement Dieu en sa sagesse et en sa justice : les termes du contrat étaient clairs ; si Adam y a contrevenu, c'est à lui qu'il faut s'en prendre, pas à Dieu !

Payer aussi pour un passé plus proche : par exemple, on naît aveugle parce que les parents ont péché. Qu'il serait instructif le sondage que l'on pourrait faire auprès des parents d'enfants gravement handicapés ! Les ravages que la religion a commis chez eux ! Mais on paie encore pour l'avenir. La souffrance est la grande monnaie d'échange, le dollar de la Banque céleste. C'est une « valeur » qui ne connaît pas d'inflation : Dieu aime infiniment la souffrance. Plus on lui en offre, plus il est content !

A force de le contenter de la sorte, qui sait ? on parviendra peut-être à lui faire oublier son grand courroux originel et toutes les autres colères, petites et grandes, que les péchés des hommes n'ont cessé de provoquer. Un Dieu apaisé par les souffrances compensatoires pourrait peut-être cesser de condamner, donc sauver !

Le mal physique provient aussi de la méchanceté des hommes. Mais cette violence des hommes, Dieu la permet précisément en punition de ce désordre où le péché originel a fait sombrer le monde. Alors, courageusement, on se remet au cocktail, on mélange tout cela avec une petite pointe de foi : Dieu est bon, Dieu nous aime. Mais qui est parvenu jamais à faire une telle synthèse ? Le sadisme existe certes en amour : mais faut-il vraiment mettre ce masque sur le visage de Dieu ?

Nous voici parvenus à un virage difficile à négocier. Notre exposé de théologie fondamentale rejoint ici deux thèmes de la théologie du salut : le péché originel et le salut par la croix. Il est évidemment impossible, dans le cadre de ce livre, de traiter dignement ces sujets, impossible aussi de les éviter. Mais je réserve à un prochain livre d'appliquer à cette théologie du salut les catégories fondamentales religion-foi que nous avons élaborées. Il en résultera des perspectives nouvelles qui ne peuvent pas ne pas affleurer ici. Que le lecteur veuille bien prendre patience et tenir en réserve les questions que ces pages vont peut-être lui poser.

Concernant le péché originel, il y a cependant quelques affirmations qui ne souffrent aucun retard et qui peuvent et doivent être dites dans ce contexte-ci. L'origine du monde peut être pensé soit de manière fixiste, soit de manière évolutionniste. Fixiste, on imagine le monde surgissant à peu près tel qu'aujourd'hui, d'un seul coup, avec toutes les choses et tous les êtres que nous lui connaissons maintenant. Dans une telle hypothèse, il est à peu près imaginable que ce fut d'abord, mais pour très peu de temps, un monde merveilleux, ne connaissant ni la souffrance, ni la mort. Puis le péché d'Adam y aurait introduit toute la peine de vivre que nous lui connaissons maintenant.

Evolutionniste — et on ne peut plus penser autrement — on sait que le monde ne s'est pas fait d'un seul coup. Une très longue et très lente évolution préside au contraire à son existence. L'homme, en particulier, surgit dans un monde existant déjà depuis des millions d'années, et son corps est le fruit et l'apogée d'un monde organique, végétal et animal, déjà longuement et pleinement constitué. Ce monde des organismes fonctionne déjà depuis longtemps, selon les règles de la croissance et de la dégénérescence, du combat des individus et des races, de la sensibilité et de la douleur. La gazelle n'a pas eu besoin d'attendre l'homme et son péché pour connaître la panique d'être la proie de la lionne et la douleur de se faire déchirer par elle. Comment admettre, en religion, que la souffrance et la mort sont dans le monde à cause du péché et depuis le péché de l'homme, alors que la science nous montre le monde animal vivant depuis longtemps déjà ces rythmes, ces relations violentes et ces accidents inhérents à toute vie organique ?

Mais l'imagination croyante bute aussi à propos de Dieu. Est-il bien juste et sage de sa part de faire dépendre d'un seul homme, et qui plus est : d'un homme à peine sorti des instincts antérieurs, le sort de toute l'humanité ? Si ma petite fille meurt de cancer aujourd'hui, c'est parce que notre ancêtre, cousin à peine élaboré des primates, a préféré croquer la pomme et a désobéi à Dieu. Mais Dieu n'y est pour rien, et il nous aime, mais il fallait bien appliquer la sentence, ou alors quel discrédit, quelle perte de prestige ! Seule la religion, par son fond secret de méconnaissance, de peur et d'inimitié pour Dieu, peut expliquer que l'homme puisse en venir à penser si laidement de Dieu.

Le mal physique : pour quoi ?

En fait, il y a continuité parfaite entre le monde d'avant l'homme et celui d'après : existent depuis fort longtemps déjà les organismes de chair dont le rythme propre est de s'organiser pour se désorganiser et mourir ensuite, et dont la sensibilité, belle et nécessaire, comporte inévitablement un envers : la souffrance. Ce monde existe déjà, et l'origine ne peut donc en être le péché de l'homme, et encore moins un décret punitif de Dieu. Il n'y a pas en

Dieu cette injustice révoltante de faire de l'humanité tout entière un flot de souffrances simplement parce que le premier homme n'a pas réussi le test d'obéissance qu'il lui faisait passer. Le sens n'est pas dans le passé, mais dans l'avenir.

Le plan créateur de Dieu — selon son principe fondamental : faire exister pour laisser exister — comporte pour l'humanité un véritable développement, une véritable histoire. Le monde commence par ce qui est le plus loin de Dieu, le plus proche du néant : un paquet d'énergie. Puis il va s'organiser et se compliquer de plus en plus jusqu'à offrir la merveilleuse richesse d'êtres divers au sein desquels apparaît l'homme.

Avec l'homme, ce qui n'était qu'évolution jusque-là, devient *histoire*. Dorénavant, l'homme, parce que conscient et libre, porte son propre développement. La poussée d'être du monde entier peut devenir dans l'homme désir de plénitude, reconnaissance de la Plénitude qui attire tout : désir et reconnaissance de Dieu — sous quelque forme, explicite ou implicite que ce soit.

Jusqu'à l'homme, c'était le combat obscur et cruel pour la vie, combat guidé par la seule poussée naturelle des instincts. Cela reste encore dans l'homme, c'est son héritage dans l'évolution, mais s'y ajoute maintenant, et pour dépasser de plus en plus le seul instinct, la *foi*.

Au cœur d'un désir de vivre devenu strictement personnel, au milieu du formidable combat organique (devenu depuis également et surtout économique), confronté à la perspective inévitable et organiquement normale de la mort, donc de l'échec du désir, l'homme est capable de percevoir la proximité de Dieu, de la percevoir comme Puissance pour l'homme : il peut devenir croyant, faire foi en Dieu, libérer ainsi son désir, puis retourner dans son combat pour la vie avec un cœur transformé.

Mais pour qu'il y ait cette situation de choix, de confiance et de foi, il faut que l'homme soit laissé à lui-même, livré à tous les combats, toutes les menaces, toutes les souffrances et toutes les morts du monde organique. La raison n'en est pas que l'homme a démérité et donc perdu un paradis originel. Le sens est dans l'avenir : le désir de l'homme comblé auprès de Dieu, mais au terme d'une histoire réelle, comme achèvement de sa propre existence, de son choix, de sa foi, de son combat, de son devenir simplement attiré par Dieu.

Dieu innocent du mal physique?

Pour la religion pure, la puissance de Dieu ne sera favorable à l'homme que s'il le mérite, s'il peut le lui arracher. Dieu est donc fondamentalement hostile, ou au moins indifférent à l'homme, les souffrances et la mort en sont la preuve, en même temps qu'elles sont les limites cruelles et amères de la religion.

Quand on fait le cocktail de la malcroyance, on mélange en fait deux informations sur Dieu. Celle de la religion : Dieu est hostile, l'homme doit le vaincre, ou essayer. Celle de la foi : Dieu est bon, l'homme peut lui faire confiance. On va donc tenter de sauver la bonté de Dieu, de l'innocenter du mal physique par le biais du péché et de la punition nécessaire : Dieu est bon, il voulait pour l'homme un paradis terrestre, c'est l'homme qui a tout gâté.

Et voilà que le cocktail passe mal : si Dieu est vraiment bon, s'il voulait vraiment que l'humanité vive en un paradis terrestre, alors il suffisait de ne pas faire ce décret débile qui lie le sort de tous à la décision d'un seul — décision prévue par Dieu, et venant d'un individu émergeant à peine de l'animalité. Malcroyance, brouillard, sophismes, malaise.

La foi a le mérite d'être claire et de mettre l'homme face à une situation précise, à l'écoute d'un appel précis.

1. Dieu, certes, n'est pas dans tel ou tel événement, organisant ici une guérison, là un accident mortel, ici une avalanche meurtrière, là une merveilleuse moisson. Les événements se déroulent selon leur propre autonomie, heureuse ou malheureuse pour l'homme, et il n'y a pas de lien direct entre Dieu et tel événement. Sur ce plan, il est innocent : ce n'est pas lui qui me ravit ma fille, ce n'est pas lui qui m'éprouve en me donnant le cancer.

2. Pourtant, Dieu n'est pas totalement innocent. S'il n'est pas dans le coup pour tel ou tel événement, il l'est bel et bien pour ce monde dans lequel inévitablement de tels événements se passent. Dieu « *livre* » l'homme à ce monde organique, il le laisse dans ce conditionnement de fragilité, de souffrances et de mort.

Dieu n'est donc pas innocent de cette situation, c'est au contraire son plan. Mais s'il livre l'homme, ce n'est pas pour le faire payer. C'est en vue de l'avenir, pour des raisons de pédagogie, pourrait-on dire. Pour que, laissé à lui-même, l'homme puisse devenir celui qui choisit Dieu, celui qui croit et vit de cette foi.

Les parents connaissent cette pédagogie nécessaire, douloureuse — elle l'est pour Dieu aussi — mais nécessaire : il arrive toujours un moment où ils doivent laisser le jeune vivre sa vie, alors qu'ils aimeraient tant pouvoir le faire à sa place avec leur grande compétence, lui injecter leur propre expérience. Impossible, ce ne serait plus lui !

3. Dieu n'est donc justifié du mal physique, sa bonté réelle pour l'homme n'est perceptible qu'au terme de cette pédagogie. Sans référence à la Résurrection, à la Divinisation, sans percevoir intensément que le désir de l'homme est fait pour cela et que Dieu l'y attire, il est vain de parler de la bonté de Dieu. Pour qui veut réduire le désir de l'homme au seul confort de ses installations actuelles, physiques et affectives, à la seule perspective de les conserver le plus longtemps possible, Dieu sera toujours le danger, le puissant à l'humeur instable et insaisissable. Et recommenceront les « pourquoi ? » et les « qu'ai-je fait au bon Dieu ? » et les révoltes ou les mornes résignations.

L'alternative est de plus en plus claire : ou l'on est athée, ou l'on devient croyant en la Résurrection. Pour qui ose penser, la religion et la malcroyance, son produit, ne sont que serpents qui se mordent la queue.

La pédagogie du devenir infini

Comme en mathématiques, il faut supposer le problème résolu. La complexité du monde organique où l'homme est livré, fait à chaque homme et à chaque femme une vie différente, une existence bien propre à chacun. Chacun aura eu un combat différent, physiquement et moralement différent. Chacun aura eu tout un tissu de relations différentes, qui l'auront aidé ou écrasé. Des identités bien particulières, bien uniques se seront ainsi constituées. Livré à un combat qui ne pouvait s'achever que par l'échec de la mort, chacun, de manières très différentes, aura cru que Dieu est puissance de résurrection. Et chacun aura puisé dans cette foi le goût de combattre en servant la vie et les vivants.

Puis chacun, de manières très différentes aussi, est mort. Derrière la mort, il a rencontré le Dieu qui ressuscite et divi-

nise et ce fut l'éblouissement : joie de Dieu et joie de
l'homme, joie au terme d'un long chemin où l'on s'est longtemps cherché et mérité l'un l'autre. Car il est tout aussi douloureux pour l'homme d'être « livré » que pour Dieu de le
« livrer » : mais quelle joie commune et quelle satisfaction
quand l'aventure est achevée dans une liberté bien personnelle
et bien éclose. Et quel regard différent sur les souffrances du
chemin !

Seule la foi nous apprend dès maintenant ce regard : « J'estime que les souffrances du temps présent ne font pas le poids
face à la gloire qui va nous épanouir » (Rm 8, 18).

Surtout, seule la foi nous apprend le vrai regard de Dieu sur
nos vies. La souffrance s'y trouve non *parce que* l'on a péché
et que Dieu punit, mais simplement « *pour que* les œuvres de
Dieu se manifestent » (Jn 9, 3), et l'œuvre de Dieu, c'est la
vie. Ce qui veut donc dire : l'homme est un être de fragilité
non parce qu'il est la ruine d'un chef-d'œuvre passé, mais pour
être le chantier d'un être à venir. Il faut que l'homme se
reconnaisse et se choisisse lui-même comme l'être en qui Dieu
attend de faire éclater sa puissance de vie et d'amour. Il sera
fils de Dieu, le désir de Dieu est de l'engendrer et le désir de
l'homme en est le reflet : l'homme doit donc *devenir* fils de
Dieu. Dans le lent cheminement réel et dur du monde organique auquel l'homme appartient d'abord. Pour que l'accomplissement de l'histoire soit, certes, l'œuvre de Dieu, mais aussi
l'œuvre de l'homme.

Quand l'homme se voit atteint par la souffrance du monde
— aveugle-né ou autre chose — ce n'est pas dans le passé qu'il
faut en chercher le sens, du côté du péché et de la punition
divine. Dans le passé, on ne trouvera que la raison technique,
biologique. De ce côté-là, l'événement n'a pas plus de sens. Le
sens de toute souffrance, le sens de ce passage à travers la
fragilité de la vie organique, c'est dans l'avenir qu'il faut le
chercher.

Seul l'avenir justifie Dieu de son plan, de sa manière de ne
pas intervenir, de son abscondité. Seul l'avenir donne sens au
mal physique. « Pour que se révèle l'Œuvre de Dieu ». Dieu
seul est capable d'illuminer l'aveugle, de faire vivre le mort ;
mais seul un Dieu laissant d'abord l'aveugle à sa cécité,
l'homme à sa vie organique, seul un Dieu caché peut faire que
l'homme choisisse la lumière, recherche le sens, accueille l'atti-

rance, tende vers la vie, et puisse un jour se réjouir, follement, de *son* aventure achevée en Dieu.

> Comment savoir d'où vient le jour,
> si je ne reconnais ma nuit ?
> Comment savoir quelle est ta vie,
> si je n'accepte pas ma mort ?

(Didier Rimaud.)

III

POUR DES HOMMES DE LIBERTÉ ET DE LIBÉRATION

1. Quand des religieux deviennent croyants

La théologie que l'on fait de Dieu et de ses relations avec le monde n'est pas innocente. En voici un exemple, d'autant plus précieux qu'il a été vécu et formulé par des gens très simples dans un milieu social primitif. Que c'est merveilleux, la théologie, quand d'un discours abstrait et spécialisé elle devient une parole éclairant la vie réelle, y mettant la libération qui vient de Dieu et qui seule lui rend gloire !

Le texte qui suit provient d'un groupe de paysans indiens du Paraguay qui envoyèrent ce message aux évêques de la conférence de Puebla (cf. I.C.I., 535 (1979), p. 44) :

> Autrefois dans notre vie religieuse, toutes nos souffrances personnelles et communautaires, familiales et sociales, on croyait que c'étaient des épreuves envoyées par Dieu, qu'il fallait les supporter et même qu'il fallait les offrir pour la gloire de Dieu et pour notre sanctification. Nous allions jusqu'à les supporter avec ferveur et avec joie, alors qu'elles allaient contre notre vie et contre celle de notre famille.
>
> Combien de fois nous avons enterré nos enfants avec résignation parce qu'on croyait que Dieu voulait en faire des anges dans le ciel ! Combien de fois nous sommes tombés de faim dans nos maisons et nous l'avons offert à Dieu ! Combien de fois nous avons fait cadeau du fruit de notre travail en pensant que c'était la volonté de Dieu ! Toutes ces idées étaient entrées dans la chair de

notre peuple depuis longtemps, et elles ont été transmises par nos parents. Les prêtres ne disaient pas le contraire.

Mais dans son immense bonté et dans sa justice, Dieu a fait entendre sa Parole à quelques-uns de nos frères, « petits prophètes » populaires. La Bible en main, ils ont commencé à y découvrir un autre visage de Dieu. Un Dieu juste et bon, qui a même un plan de salut préparé depuis le commencement de l'histoire pour tous les hommes. Ils découvrent et ils commencent à faire savoir que Dieu a toujours accompagné les hommes ; le signe vivant de cela, c'est la venue du Christ qui vient éclairer et renforcer le plan de salut. Dieu ne veut pas que l'homme souffre ; dans son plan nous trouvons la justice, l'amour entre les hommes, et comme but, le bonheur de l'homme. Nous avons commencé sur cette base, accompagnés par certains prêtres, à pratiquer la vie d'amour fraternel, et en sachant que Dieu n'était pas le responsable de nos malheurs et de nos souffrances.

Spiritualité et soumission

Il est dans la logique de la religion de distiller dans l'existence des hommes un réseau de relations fait de soumission et de résignation pour le commun des hommes, de domination et de profit pour ceux qui ont le pouvoir, que celui-ci soit moral, intellectuel, politique ou économique.

En effet, la religion est fondamentalement la projection sur Dieu des rapports humains entre faible et puissant. Du coup, ces rapports y trouvent aussi leur légitimation universelle et définitive : partant de Dieu, se fondant sur lui, c'est tout un réseau hiérarchique de domination qui est ainsi mis en place sur l'existence. L'homme ne peut que subir et se résigner, car Dieu a défini ainsi fondamentalement son être. Subir et se résigner, par rapport aux situations de la vie — puisque tout dépend du gouvernement de Dieu — par rapport aux puissants, à ceux qui ont le pouvoir à quelque degré que ce soit, puisque ce pouvoir participe au pouvoir de Dieu.

Dans cette construction religieuse de la vie, la clef de voûte est Dieu, Puissance de domination suprême : c'est elle qui fonde et légitime toutes les autres dominations et maintient les hommes dans l'attitude adéquate : la soumission.

S'il en est ainsi, la spiritualité par laquelle l'homme cultive, entretient en lui le sens de Dieu, devient l'occupation et le souci primordial de la religion.

L'Église ne doit pas faire de politique, dit-on, son entreprise est spirituelle. Elle veut aider l'homme à entretenir le sens de Dieu et à lui rendre le culte qui lui revient, l'amour qu'il lui doit. Elle recherche ainsi le bien de l'homme : à quelque degré que ce soit, c'est en cherchant à lui plaire par sa soumission que le faible peut survivre devant le Puissant. Telle est l'attitude que la religion, par sa spiritualité, par ses exercices religieux, doit entretenir.

L'opium pour le peuple

Il était donc inévitable que le mouvement de libération sociale comporte presque toujours la critique et le refus violent de la religion. Le sommet en est atteint dans le marxisme athée. La religion y est perçue, analysée dans son fonctionnement social réel : elle organise de fait autour de l'homme un tissu de relations qui le plonge dans la soumission à l'ordre établi, le rend incapable de prendre son histoire en main, de transformer toute situation d'écrasement, pour dégager le plus largement possible une existence faite de dignité et d'épanouissement.

Dans la ligne de cette critique, la spiritualité est rejetée comme aliénante. Entre vie spirituelle et engagement temporel, l'opposition est totale. La première est faite essentiellement de soumission, elle est donc un frein pour le second qui vise au combat et à la transformation. La première aliène l'homme en faisant de lui le rouage d'un système préétabli, le second veut au contraire lui ouvrir le plus largement possible les espaces qui lui reviennent : ceux du développement dans la liberté et de l'action dans la libération réciproque.

Subir une situation écrasante en la consacrant encore par la volonté de Dieu et s'y résigner — lutter contre toute situation écrasante pour dégager le plus d'humanité possible : entre ces deux termes, l'opposition est radicale.

Spiritualité contre engagement : un problème de malcroyance

Une fois de plus, la religion a nourri l'athéisme, et l'opposition de ces deux attitudes crée une situation inconfortable de malaise, de flottement, de balancement et de durcissement.

Provoqué par les valeurs humaines évidentes, par le sens de l'homme que véhiculent les mouvements de libération, le fidèle, même prêtre, sort soudain de son sommeil religieux, investit toute sa vie dans l'action pour les autres et se détache de plus en plus de la vie spirituelle. Cette évolution est aujourd'hui largement répandue : la découverte de l'action, de son importance, produit le recul de la vie spirituelle. Ce qui le provoque, c'est la prise de conscience d'une contradiction entre le monde de soumission et de domination que distille la pratique religieuse et le monde de liberté et de libération que l'entrée dans l'action fait découvrir.

Mais cette priorité donnée à l'action, et ce recul de la vie spirituelle semblent tout à coup dangereux à d'autres, et avec quelque raison. Ils sentent qu'une telle évolution conduira inévitablement à l'athéisme. Ils constatent même que tel en est déjà l'aboutissement, et souvent chez les militants les plus engagés, et ils se mettent alors à régresser en religion, à affirmer les valeurs de la pratique religieuse, de la piété et de la spiritualité.

On ne parle pas ici de ceux qui utilisent l'argument religieux dans des buts politiques, ceux que le désir de ne rien voir changer au système qui les avantage pousse à déclarer marxistes et impies ceux qui s'engagent pour plus de justice.

Dans le balancement incompris qui s'opère entre religion et athéisme, la malcroyance donne naissance aux deux dérives actuelles, de plus en plus fortes et opposées.

Il y a la dérive spiritualisante, charismatique, pieuse, où tout est investi principalement dans la spiritualité et la célébration, et pour qui l'engagement est le danger, soit parce qu'on voit que beaucoup s'y perdent, soit parce qu'on y a frôlé soi-même l'athéisme, soit aussi parce qu'on s'y est découragé.

Il y a la dérive politisante, active, où l'on investit principalement dans l'action pour les autres et pour la société ; pour elle la piété est synonyme de désengagement et la prière presque de perte de temps.

Aussi longtemps que l'on restera dans la malcroyance, dans ce balancement incompris entre religion et athéisme, cette tension entre spiritualité et engagement ne peut que croître et conduire à des ruptures définitives.

Le sens de la spiritualité que brandissent les uns sera toujours perçu par les autres comme aliénant, désengageant, distillant un sens du monde désormais dépassé et vaincu.

L'appel à l'action que font retentir les autres sera toujours ressenti par les premiers comme un risque de se perdre loin de Dieu dans une montée orgueilleuse des désirs et des projets de l'homme.

L'appel de Dieu à la liberté

Il n'y a de solution, de synthèse sereine, qu'au-delà de la malcroyance, dans la foi. Car si la religion nourrit l'athéisme, si la tension obscure entre les deux provoque la malcroyance, tout ce processus peut aussi être l'occasion inespérée de transiter enfin résolument et clairement de la religion à la foi.

Or, et nous l'avons vu, dans la foi, la relation à Dieu ne distille pas la soumission et la résignation, mais la liberté et la provocation dynamisante d'une existence pleinement confiée à l'homme. Les deux premières fonctions de la foi sont l'une d'accueillir la justice et la tendresse qui viennent de Dieu et l'autre de les prolonger activement dans la vie. Ces deux fonctions, dont la première est la spiritualité et la deuxième l'engagement, sont inséparables : loin de s'opposer, elles se conditionnent l'une l'autre, se compénètrent et s'animent mutuellement. Mais pour cela, il faut cesser de porter un regard religieux sur Dieu et se libérer du même coup de l'alternative que véhicule la critique athée : ou bien Dieu, ou bien l'homme. Mais pour cela, il faut accéder à la foi qui est d'abord spiritualité, c'est-à-dire : expérience sans cesse entretenue de la rencontre avec le Dieu qui fait vivre, mais pour être immédiatement prolongée dans l'action réelle. Sans elle, la spiritualité n'est que façade. Sans spiritualité, l'action ne se déclenchera pas, ou elle risque de manquer de patrie, et de souffle.

Dieu libère des libérateurs. Est libération toute forme d'action, dans un des nombreux domaines de l'existence, qui permet à l'homme et à la femme de grandir vers plus de dignité, de bonheur, de possession et d'expression de soi — grandir vers une plus grande capacité de divinisation.

Dieu libère des libérateurs. Quand des paysans indiens du Paraguay comprennent cela et en font le contenu de leur parole et de leur action, alors c'est que la théologie est en train de renaître, comme servante de l'Évangile annoncé aux pauvres. Certes, l'Amérique du Sud n'est pas l'Europe et c'est parfois l'exagération de cercles tiers-mondistes — mais c'est peut-être aussi leur lassitude — que de prétendre qu'il n'y a de foi et d'Église authentique que dans l'action pour le tiers monde. Alibi d'un engagement lointain pour échapper aux contraintes de l'ici ? La découverte du Dieu de la foi s'est incarnée chez ces paysans dans l'action très concrète pour le développement local. Quelle est l'œuvre de libération où devrait s'incarner pour nous en Europe la même découverte du Dieu libérateur ? Libérer l'homme du non-sens de la vie ! Libérer de l'avoir et de la réussite agressive ! Libérer de la peur, de l'isolement, de la marginalisation ! Libérer d'une économie qui pille et écrase ailleurs pour faire ici des hommes obèses et hypertendus ! Faire de la grande machine technique que notre société a mise en place, des merveilleux pouvoirs de connaissance et de production qu'elle a acquis, des instruments pour l'homme et non des armes de domination et de guerre !

Mais on passera à côté de tous ces chantiers tant qu'on restera dans l'alternative religion ou athéisme et que l'on perpétuera ainsi les vaines querelles de la malcroyance.

2. QUAND UN ATHÉE DEVIENT CROYANT

Merveilleuse aussi la conversion de qui, sans régresser en religion, et sans rien renier de son expérience humaine, passe de l'athéisme à l'alliance avec le Dieu vivant.

Sans régresser en religion ! La peur ne l'a pas reconquis, qui l'aurait attiré en religion pour y trouver les moyens de s'assurer devant Dieu.

La détresse ne lui a pas fait perdre le sens de l'existence, ni pallier la faiblesse humaine en tentant d'arracher à Dieu des interventions.

Il reste homme dans toute la mesure, découverte par son expérience, de sa liberté et de son combat. Et cet homme rencontre Dieu comme « le sens de la liberté » :

> Le sens et moi-même
> sont de ton monde, ô Eternel !

Semyion Glouzman. Né en 1946, psychiatre russe, persécuté, condamné au camp de travail pour s'être opposé radicalement à l'internement psychiatrique policier. Il a pu faire parvenir jusqu'à nous un psaume. Il n'a pas d'autre titre. Mais comme tous les chants personnels d'hommes et de femmes que la rencontre avec le Dieu du sens a remplis d'une vie et donc d'une parole nouvelle, ce psaume mérite un numéro.

Psaume 151

A toi, Eternel, louanges et grâces,
Au milieu de l'agitation et du fond des ténèbres,
Des ténèbres païennes.
Toi, Eternel, indescriptible,
Incomparable,
Invisible et omniprésent.
Mais je parle du sens de la vie.
Du sens de ma vie dans ta création.
Derrière moi : le droit de décision,
Le choix et l'action.
Tu es la parole et le sens,
Tu es le veilleur.

J'aime ton herbe qui croît, Eternel,
Le soleil et le murmure de la nuit
Et la femme que je n'ai pas encore rencontrée,
Le livre non écrit.
J'aime les parfums, les couleurs et l'aspect des fleurs,
La mer, les oiseaux.
La liberté.

Mais j'aime davantage la sagesse :
Qu'un arbre sorte de la terre,
Que l'enfant devienne homme,
Que de la vérité vienne la parole.
Le doux raisin,
La mer salée
Et le sombre nuage.

Mais non point la douceur du mensonge
Ni la liberté amère.
J'ai appris à distinguer
La douceur des épines du fil de fer barbelé.
J'ai compris qu'il peut être doux de jeûner quatre mois
Sans raisin, sans l'odeur de la mer,
Avec les sons et les images du camp de concentration.
J'ai ressenti et vécu par la pensée la douceur de la liberté.

Ma parole née de ma liberté,
Le sens et moi-même
Sont de ton monde, ô Eternel,
Et j'ai choisi
Sans avoir rencontré une femme,
Sans avoir écrit un livre,
Dans le froid,

Sous la violence,
J'ai choisi, ô Eternel,
Le sens de la liberté.

(cf. *Choisir*, 231, 1979, pp. 28-30.)

IV

LES GRANDES INDICATIONS
DE L'ÉVANGILE

Le développement précédent s'est efforcé de reconstituer le visage de Dieu et le sens de l'existence humaine, tels que la foi les perçoit dans son expérience de l'abscondité. Nous avons déjà largement puisé dans la Bible, dans la Révélation, pour authentifier notre description de Dieu et de l'homme. Ce n'est pas, en effet, la logique interne d'une pensée qui suffit à l'établir comme vraie. Athéisme, religion, foi : c'est trois pensées qui ont toutes leur logique interne. Seule la parole de Dieu, écoutée d'abord, rencontrant ensuite l'expérience humaine pour l'habiter et l'éclairer, peut fournir une référence objective pour choisir entre ces systèmes, surtout pour se convertir à la foi.

Sous le terme d'abscondité de Dieu, nous avons résumé une manière de comprendre l'existence, une expérience bien typée. La question qui nous intéresse maintenant : les communautés chrétiennes primitives, elles dont la vie et la foi s'expriment, sous l'inspiration de l'Esprit, de manière normative dans le Nouveau Testament, font-elles cette même expérience de l'abscondité de Dieu ? Ou baignent-elles au contraire dans le merveilleux religieux, dans la Puissance divine prête à intervenir à condition seulement que l'on croie et que l'on prie ? Dans le Nouveau Testament, rencontre-t-on des chrétiens qui vivent le Dieu dans l'événement, ou qui, livrés seuls à l'événement, luttent pour demeurer pourtant dans la « proximité » de Dieu et pour y puiser le sens, la « consolation », l'« endurance » et l'« assurance » ?

La réponse à cette question constituera donc notre argumentation biblique. Celle-ci se poursuivra encore d'ailleurs dans la IIIᵉ partie, en réponse à la question : dans le Nouveau Testament, prie-t-on aussi selon un contexte de foi, d'Abscondité, ou selon la religion ?

1. Un rejet catégorique de la religion : Lc 13, 1-5

Deux faits précis. Une affaire politique : la police de Pilate massacre dans le Temple un groupe de pèlerins galiléens, probablement pour faire un exemple et calmer l'effervescence révolutionnaire des grands rassemblements de fête à Jérusalem (13, 1-3). Une affaire technique : une tour s'abat sur une place de marché, dix-huit personnes sont écrasées (13, 4-5).

Ce qui frappe les gens, semble-t-il, c'est cette espèce de choix qui s'est fait dans les deux cas. Ils étaient foule, les pèlerins à Jérusalem. Foule aussi les dangers rencontrés par les Galiléens durant leur long déplacement depuis le nord du pays. Et il faut que ce soit précisément eux, et au moment solennel où leur pèlerinage s'achève dans l'offrande du sacrifice en plein Temple, que la police de Pilate vienne mettre à mort violemment. Ils étaient foule aussi sur le marché, et plusieurs ont entendu siffler des pierres près de leur tête. Et il fallut que ce soit précisément ces dix-huit personnes que la tour écrase proprement.

Pourquoi ? Une telle précision, et pour les Galiléens une telle hargne à les poursuivre et à les frapper au moment le plus spectaculaire : la raison en est évidente, c'étaient les plus grands pécheurs du coin. A grand pécheur, grande punition : donc, grande punition signale grand péché.

Derrière la question que l'on pose à Jésus, la religion est évidente : Dieu est dans l'événement. Qu'il s'agisse de forces libres (les hommes de Pilate) ou physiques (la tour), Dieu les habite et les fait agir selon son plan. Ici, pour servir sa volonté de punir, et de punir de manière exemplaire. Si Dieu manie ainsi l'événement, la religion y trouve sa justification fondamentale : le religieux fidèle obtiendra par ses mérites que Dieu lui donne une vie agréable, l'impie méritera au contraire par ses fautes une violence soudaine qui prouvera à tous qu'on ne se moque pas impunément du Puissant.

« Non, vous dis-je ! »

Quelle violence ! Quel rejet catégorique ! « Jésus, penses-tu que ces Galiléens étaient de plus grands pécheurs que tous les autres pour avoir subi un tel sort ? » Jésus, penses-tu qu'il y a un rapport direct entre Dieu et les événements ? — *« Non*, vous dis-je ! »

Positivement, cette réponse de Jésus signifie donc que l'événement fonctionne en parfaite autonomie. On n'a pas le droit de remonter de l'événement jusqu'à Dieu. Le seul sens que contienne l'événement, c'est celui que l'analyse matérielle pourra établir. Ici, c'est d'une part la politique brutale d'un gouverneur de la Judée, et d'autre part la vétusté d'une construction et l'incurie de l'édilité. Il n'y a pas à chercher plus loin. L'homme n'affronte que l'événement, pour le faire ou le subir. Il n'y rencontre pas Dieu. La première moitié de notre formule est donc établie :

> L'homme face au seul événement

La religion comme relation correcte entre Dieu et l'homme est rejetée catégoriquement. Que va mettre Jésus à sa place ?

La nouvelle relation de la foi

La réponse de Jésus passe à une affirmation positive : « Si vous ne vous convertissez pas, vous périrez tous de même ». Parfois on traduit autrement : « Si vous ne faites pénitence, vous périrez de même. » C'est introduire la contradiction dans le texte, et annuler totalement sa portée, critique pour la religion et positive en son appel à se convertir à la foi.

Parler de « faire pénitence », c'est retourner à son vomi, retomber dans la religion après l'avoir catégoriquement rejetée. C'est accréditer la pensée religieuse selon laquelle c'est en faisant pénitence, donc en rassemblant des œuvres méritoires, que l'on pourra arracher à Dieu ses faveurs, sa protection, obtenir de sa Puissance des événements heureux. Sinon, il faudra périr comme ces gens.

Mais Jésus parle de « conversion », et la conversion dans l'Évangile n'est pas d'abord une conversion morale. Paul,

« irréprochable » en son comportement moral (cf. Ph 3, 6) n'aurait pas eu à se convertir, tout comme la plupart des pharisiens de l'Évangile. Nous l'avons vu, se convertir c'est changer de mentalité, percevoir différemment sa relation avec Dieu, parce qu'on a rencontré la révélation du Royaume, parce qu'on accueille dorénavant Dieu comme une Puissance de vie pour l'homme. Dieu comme le Père qui fait vivre. Si je ne me convertis pas au Père qui me fait vivre, ma vie restera toujours totalement menacée, soit par la violence des hommes, soit par l'accident matériel idiot. Il y aura toujours un Pilate pour me tuer, une tour pour m'écraser. Nous périrons tous de même ! Si je me convertis au Père qui me fait vivre, au Père toujours proche de moi, alors viennent les Pilate, tombent les tours, je ne péris pas. « Je suis la Résurrection et la Vie. Celui qui vit et croit en moi, ne mourra jamais » (Jn 11, 26).

A côté du sens technique, autonome, de l'événement, Jésus affirme une deuxième dimension, différente de la première :

> Dieu est proche de l'homme

Cette proximité paternelle, vivifiante, c'est par la conversion que le croyant la découvre, par elle aussi qu'il s'y maintient sans cesse.

Et c'est l'homme qui est chargé de faire la synthèse de ces deux dimensions et de produire ainsi du sens à propos de telle ou telle situation :

> DIEU EST PROCHE DE L'HOMME DANS L'ÉVÉNEMENT

Notre formule est complète et semble bien traduire parfaitement la pointe de notre texte.

Ces Galiléens, ces dix-huit personnes de Jérusalem sont mortes. Pour eux, il n'y a plus rien à faire. Mais ces événements comportent nécessairement une provocation pour ceux qui en sont témoins. Celui qui meurt à mes côtés, m'entraîne toujours un peu dans sa mort. Provocation de sens fondamentale : que suis-je ?

Ne suis-je que la future victime de la violence qui m'atteindra inévitablement ? Alors, jouissons vite avant qu'il ne soit trop tard !

Suis-je le jouet d'un Puissant qui selon son bon plaisir et mes mérites m'assignera le bonheur ou le malheur? Alors mortifions-nous vite avant que ne soit passée l'occasion de plaire au Puissant!

Jésus invite à un autre sens : regardons en face notre existence livrée à la fragilité, mais reconnaissons aussi Celui qui crée et attire notre désir de vivre, et puisons dans cette foi la liberté, le sens et l'assurance pour poursuivre le chemin et le faire très large et très accueillant.

2. Serviteur d'un maître absent

Il en est du Royaume «comme d'un homme qui, partant en voyage, appelle ses serviteurs et leur confie ses biens» (cf. Mt 25, 14-30 ; 24, 45-51 et Lc 12, 35-48 ; 19, 12-27).

L'existence chrétienne se déroule sous le signe de l'abscondité, d'une certaine absence de Dieu. Le maître est parti, et un voyage, dans l'antiquité, c'était long et dangereux. Le maître n'est pas caché quelque part dans la maison : en cas d'urgence, on pourrait toujours l'atteindre. Il est parti, pour longtemps. Peut-être même, qui sait? ne reviendra-t-il plus. Ne serait-il pas déjà mort?

«Le maître tarde» : dit le mauvais serviteur (Mt 24, 48) et il prend sa place, mais à sa manière de faux maître, goinfre et violent.

Ce qui caractérise le bon serviteur, c'est la vigilance. Voyons-la de plus près. Elle comporte deux relations : au maître absent et à la maison confiée.

Pour ce qui est de la maison, le serviteur à qui l'intendance générale a été confiée (Mt 24, 45 ss) est totalement livré à lui-même. De son maître il n'a qu'un mandat global : la faire fonctionner pour le bien de l'ensemble, jusqu'à ce que le maître revienne et puisse alors la retrouver en bon état, et se réjouir de se retrouver chez lui. Quant il s'agit d'argent (Mt 25, 14 ss), il veut même retrouver sa fortune accrue.

Le serviteur est donc livré à lui-même, et la maison aussi, à son génie, à son savoir-faire, ses compétences et son travail. S'il se passe un drame, une situation exceptionnelle, il n'y a pas de téléphone : il est livré à lui-même.

La maison, les talents : c'est le monde, la vie, l'existence. L'homme et le monde sont livrés l'un à l'autre.

Mais pas seulement. Même absent, le maître reste proche. Il y a un lien entre le maître et le serviteur : un attachement fait de la confiance donnée au serviteur avant le départ, et de l'attente de son retour. Chaque décision sera prise par le serviteur en puisant d'une part dans cet attachement général au maître et d'autre part dans ses propres compétences à maîtriser correctement telle ou telle situation.

Pédagogie du maître : l'absence est l'étape nécessaire pour laisser se dégager l'authentique liberté, faite de fidélité dans l'autonomie. Le maître se veut absent pour que celui qui ne serait qu'exécutant en sa présence puisse devenir un collaborateur, bientôt un convive à sa table, un familier de sa joie : « Viens te réjouir avec ton maître » (25, 21).

L'épreuve de l'absence

Derrière ces paraboles se profilent clairement l'épreuve, l'étonnement, le scandale même de la communauté chrétienne. Il n'est jamais évident d'être croyant, pas même dans les débuts du christianisme. Mais la religion, elle, est naturelle !

En fait, on s'étonne de voir traîner les choses, on se scandalise du retard que prend le Royaume (cf. Lc 19, 11 : on aimerait qu'il « se manifeste sur le champ ! »), on trouve étonnant que l'histoire se poursuivre dans sa formidable ambiguïté, blé et ivraie poussant inséparablement ensemble (cf. Mt 13, 24-30). Dieu n'intervient pas pour mettre de l'ordre, avec le but pédagogique bien avoué de ne pas déraciner le blé avec l'ivraie — de laisser la liberté faire sa croissance dans un combat véritable, dans un monde laissé à lui-même.

Au début du IIᵉ siècle après le Christ, autour de 125 — c'est déjà largement la deuxième génération chrétienne —, une lettre exprime explicitement la peine de vivre l'Abscondité de Dieu (2 P 3, 3-18). L'auteur connaît le malaise, le scandale de sa communauté, mais fidèle à l'Évangile, il ne l'escamote pas par des entourloupettes religieuses, du genre : Dieu vous abandonne parce que vous ne priez pas assez — priez davantage et il interviendra — le monde est bien trop méchant pour que Dieu s'en occupe pour son bonheur. Non, au contraire, il affirme clairement l'abscondité de Dieu comme une situation normale, et comme une provocation, une épreuve pour la foi.

Il importe donc de bien percevoir et de bien interpréter cette situation.

Une première réaction au fait brut de l'absence de Dieu : le croyant devient un « sceptique moqueur » : « Où en est la promesse de sa Parousie ? Depuis que les pères sont morts (c'est-à-dire à peu près la première génération chrétienne), tout demeure dans le même état qu'au début de la création » (2 P 3, 4,). L'expérience prolongée de l'absence de Dieu conduit ici le croyant à l'athéisme : cessons de parler de Dieu, il n'y a que l'histoire et ses forces internes, le sens de la vie n'est pas d'aller vers une Parousie, vers une rencontre, rien ne change, rien ne changera jamais.

Deuxième réaction : la malcroyance. « Le Seigneur ne tarde pas à tenir sa promesse, comme certains l'accusent de retard » (3, 9). La confiance absolue est ébranlée, la foi se lézarde. Quand le serviteur de la parabole dit : « Mon maître tarde » (Mt 24, 48), c'est que sa fidélité est en train de flancher. Bientôt il dira qu'il est mort !

Et pourquoi tarderait-il ? Peut-être tarde-t-il... définitivement ! Il tarde, parce qu'il ne viendra jamais, parce qu'il n'y a rien à venir, rien à attendre. Le malcroyant dit que Dieu tarde, et bientôt, il dira que Dieu n'existe pas, que la vie ne va pas vers une Parousie. On est devenu athée.

Ou bien il tarde parce que les hommes ne lui donnent pas assez de raisons d'agir. Et voilà le malcroyant basculant dans la religion, prêt à payer le prix pour que Dieu, en retour, se décide à agir.

La salutaire patience de Dieu

Troisième réaction, la seule juste : celle de la foi qui dure et grandit.

1. Le sens de l'histoire, c'est la Parousie : « nous attendons selon sa promesse des cieux nouveaux et une terre nouvelle où la justice habite » (3, 13). D'autres, provoqués par l'absence actuelle, peuvent mettre cette perspective en doute, le croyant garde son « assurance », l'épreuve le faisant grandir au contraire « dans la grâce et la connaissance du Seigneur et Sauveur Jésus Christ » (3, 17-18).

2. Si, actuellement, l'histoire reste livrée à elle-même, s'il y a absence de Dieu, ce n'est ni parce que Dieu n'existe pas (interprétation athée), ni parce qu'il manque de puissance face au monde (malcroyance prise entre deux feux), ni parce qu'on ne mérite pas son intervention (interprétation religieuse). S'il y a absence, c'est parce que Dieu le veut ainsi. Par pédagogie : il *patiente*, pour laisser à tous le temps de la *conversion* (3, 9). Patienter, n'est-ce pas accompagner l'histoire, avec attention et intérêt, trembler d'impatience et de désir d'intervenir, puis se reprendre dans la patience, en pensant qu'il ne faut pas envahir, agir à la place des autres, mais bien plutôt laisser l'espace d'un devenir libre ? Pour la conversion : pour le choix du Dieu qui vient, au cœur d'une histoire où il n'intervient pas, pour la foi en la Parousie malgré l'absence. Cette pédagogie de l'absence est donc le pur produit de son amour authentique : « Il patiente, ne voulant pas que quelques-uns périssent, mais que tous parviennent à la conversion » (3, 9).

3. Ce temps de l'absence de Dieu devient aussi le temps de l'existence de l'homme. Existence éclairée de sens et d'espérance : la fragilité du monde (« tout doit se dissoudre », 3, 11) devient signe prophétique et appel du Jour de Dieu. Le combat contre l'injustice (« rester dans la paix, nets et irréprochables » 3, 14) devient la forme concrète réelle, sérieuse, de l'attente de la « terre nouvelle où la justice habite » (3, 13). Cette longue patience de Dieu, loin d'être déroutante, scandalisante, peut et doit être perçue au contraire comme salutaire (3, 15) : « quels hommes devez-vous être ? » (3, 11). Pédagogie de liberté et de croissance ! Le malcroyant s'imaginait que Dieu « tardait ». Voici que jouant un peu sur les mots, l'auteur n'hésite pas à dire qu'en agissant ainsi le croyant *hâte* la Parousie (3, 12). Tarder, hâter : c'est plus qu'un jeu de mots, qu'un paradoxe. C'est un renversement de rôle qui souligne que l'affaire se passe dans l'histoire et que le Dieu de la foi, à la différence de celui de la religion, ne veut pas tout ramener à lui ni être le seul acteur de l'histoire. Les hommes ne peuvent devenir, éclater, avancer vers leur épanouissement, « hâter » l'achèvement et la rencontre que si Dieu laisse l'histoire à elle-même. La Parousie n'est pas « retardée » par Dieu, Dieu patiente pour nous permettre à nous de « hâter » le moment de la rencontre. Pédagogie !

3. En Dieu, quelle Providence ?

Dieu ne se contente pas de laisser le monde à lui-même, l'homme à lui-même. Il n'intervient pas dans l'événement pour changer ou empêcher le cours naturel des choses. Mais il reste proche de l'homme, par son Esprit, par sa Parole et par les frères, proche pour le libérer, l'instruire, l'attirer, le soutenir, l'aimer. Providence d'inspiration, avons-nous dit : en est-il bien ainsi ?

N'y a-t-il pas dans l'Évangile un appel à une confiance bien plus poussée en la Providence du Père ? « Regardez les corbeaux, regardez les lis des champs » (cf. Lc 12, 22-23) : l'Évangile ne révèle-t-il pas essentiellement le Père qui prend soin de nous ? Et on n'a même pas besoin de le lui demander (Mt 6, 8, Lc 12, 30) ! Et on n'a pas de souci à se faire !

« Les lis et les corbeaux », voilà bien un des textes les plus connus de l'Évangile. Il suscite l'intérêt unanime des religieux et des athées. S'il y a un monde qui plaît au religieux, c'est bien celui qu'il croit reconnaître dans ce texte. Le Puissant courroucé, calmé par le sacrifice de Jésus et le bon comportement des fidèles, a enfin réintégré le modèle divin tant souhaité : le bon Gros-papa des siècles, l'aimable Vieillard des cieux, s'occupant de chaque chose, faisant marcher son superjardin botanique et sa grande ménagerie, donnant à chaque être, de la bonne petite bête-à-bon-Dieu jusqu'à la bonne petite maman entourée de ses bons petits enfants, tout ce qu'il faut pour vivre. Idéal, merveilleux, mignon ! Et très écologique avec ça !

Le malheur, dit le malcroyant, c'est que cela ne dure que le temps d'une pause rêveuse tandis que dans la paix d'une église s'écoule l'harmonie sereine d'un choral de Bach. Mais, repassé le bénitier, on retrouve les fins de mois et le chômage et la peine quotidienne.

Horreur, dit l'athée, pensée aliénante et infantilisante, sommet de la naïveté, preuve que l'Evangile chrétien, c'est Père Noël et Cie ! Preuve aussi que la religion n'est qu'entreprise lucrative utilisant les larges créneaux du désir, de la peur et de la naïveté des gens, pour faire la fortune de ceux qui la gèrent.

Après tout cela, allez retrouver le regard que Jésus portait sur les corbeaux et les lis, puis sur les hommes pour leur parler, et enfin vers le Père pour révéler sa Providence ! Essayons quand même !

Vaincre l'inquiétude

Pour mieux situer la pensée de Jésus, on peut préciser d'abord que les lis ont des racines qui pompent et les corbeaux s'affairent sans cesse à la recherche de la nourriture. On n'est pas dans un contexte d'insouciance mais dans celui du combat général pour la subsistance quotidienne.

Les corbeaux que regarde Jésus « ne sèment ni ne moissonnent, n'ont ni cellier ni grenier » (12, 24). Mais les hommes à qui il parle, eux sèment et moissonnent. Et entre les semailles et la moisson que font-ils ? Ils se rongent d'inquiétude. Quand la saison se fait bien, avec les pluies qu'il faut au bon moment, c'est merveilleux, c'est reposant. Ailleurs, Jésus en a fait une parabole du Royaume : l'homme sème et après c'est la terre qui travaille. « Qu'il dorme ou qu'il soit debout, la nuit et le jour, la semence germe et grandit, il ne sait comment. D'elle-même, la terre produit l'herbe, puis l'épi, enfin du blé plein l'épi. Quand le blé est mûr, on y met la faucille, car c'est le temps de la moisson » (Mc 4, 26-29).

Mais le petit paysan d'alors, et il constituait la grande majorité du peuple, n'avait pas souvent l'occasion de se réjouir ainsi. Que survienne une mauvaise année, il devait s'endetter horriblement chez l'usurier pour acheter du grain pour se nourrir et faire les nouvelles semailles. Entre les semailles et la nouvelle moisson, de longs mois s'écoulaient où il ne pouvait qu'attendre, supputer la nouvelle récolte, faire et refaire ses comptes pour voir s'il pourrait cette année se libérer un peu de l'usurier ou s'il devrait s'endetter encore. Bref, avec ou sans dette, c'était le temps de l'impuissance (pas d'engrais, pas d'arrosage) et donc de l'inquiétude.

Non, Jésus ne parle pas à des gens qui ne font rien, pour les encourager dans une insouciance infantile et dans une confiance naïve en une manne céleste. Il parle à des gens qui sont au bout de leurs moyens d'action, acculés à leur impuissance, en plein combat pour la vie, souvent même pour la survie.

Au XXe siècle, et du moins dans nos régions, le paysan est mieux équipé, l'usure est jugulée. La production industrielle s'est développée, qui ne dépend plus ou presque plus du bon rythme des saisons. L'homme touche moins vite à la zone de son impuissance. Moins vite, mais il y parvient quand même toujours. Libérer l'homme de l'inquiétude de son impuissance reste donc d'actualité.

Mais Jésus ne le fait pas en sautant dans le merveilleux. Il le fait en révélant le Royaume, un espace de vie et de joie au-delà de celui qui est assuré par le manger et le boire.

Il faut percevoir le contexte général depuis Lc 12, 13. L'homme, plus ou moins rapidement selon les moyens de sa culture, en arrive toujours à son point d'impuissance : il butte alors à l'événement plus fort que lui. Question donc : l'homme ne peut-il pas assurer sa vie ? Réponse négative d'abord, par la parabole du riche insensé (12, 16-21) : la richesse, la production ne permettent pas à l'homme d'assurer sa vie. Ce n'est pas le nombre et l'ampleur des greniers, ni les bombances qu'il se promet ainsi qui assureront l'homme contre l'infarctus : il va frapper « cette nuit même », juste après l'inauguration des nouvelles installations !

Il n'y a qu'un espace où l'homme peut assurer sa vie : le Royaume. En fait, c'est plutôt un espace où l'homme découvre qu'il peut se confier à Dieu, car c'est lui qui assure la vie de l'homme Au-delà de son combat historique pour la vie. Non en l'escamotant, ni en en faisant l'économie par une intervention merveilleuse de la Providence.

« Les corbeaux et les lis » constituent un exercice pédagogique : regardez la création, acceptez-la telle qu'elle est, avec son combat. Mais vous êtes plus. Les « païens » (les incroyants) ne le comprennent pas. Vous, comprenez-le, croyez-le, non pas parce que vous allez faire une expérience de merveilleuse insouciance — cela n'existe pas, ou alors sur le dos du travail des autres ! — mais parce que Jésus le révèle : « Sois sans inquiétude, dépasse ton inquiétude, car votre Père vous aime et désire vous donner le Royaume » (12, 32).

Jamais en oubli devant Dieu

Il y avait donc le combat pour la vie, commun à tous les hommes, que la communauté chrétienne devait affronter. De manière différente de ceux qui n'ont pas la foi. Différente non pas par une illusoire certitude que la Providence agirait à leur place ou du moins interviendrait pour faciliter et protéger leur travail. Différente parce qu'ils ne faisaient plus de la production et de la richesse le seul horizon de leur vie. Différente aussi parce qu'ils puisaient dans la nouvelle liberté du Royaume la possibilité de partager production et richesse pour aider ceux qui sont dans le besoin et pour s'insérer ainsi de plus en plus fortement dans la vraie vie du Royaume : « Vendez ce que vous possédez, donnez-le en aumône. Faites-vous un trésor inaltérable auprès de Dieu. Là, ni voleur n'approche, ni mite ne détruit. Car, où est votre trésor, là aussi sera votre cœur. » (Lc 12, 33-34). La Providence : Dieu rejoint l'homme au cœur de son combat pour la vie, pour l'attirer vers le Royaume où son désir est assuré et libérer en lui la liberté victorieuse (mais pas encore affranchie) de la matière.

Mais il y avait aussi un combat propre aux chrétiens, celui de la persécution, physique ou sociale, de la part du monde juif et païen (cf. Lc 12, 4-7 ; 21, 12-29). Aurons-nous là au moins une Providence intervenant en faveur du juste croyant contre l'impie criminel ?

« Ne craignez pas ceux qui tuent le corps et qui, après cela, ne peuvent rien faire de plus » (12, 4). Quel soulagement pour l'homme persécuté que d'apprendre que le persécuteur ne peut rien faire de plus que de le tuer ! Cet humour, macabre pour qui ne croit pas en la Résurrection, ne suffit-il pas déjà à définir en quelle Providence croit l'Évangile ?

Puis soudain, au bord de la route, un étalage, du petit gibier, cinq moineaux attachés par une ficelle, avec une étiquette : 10 centimes. On force encore l'image, vers ce qu'il y a de plus insignifiant : un cheveu ! Les cheveux, ils sont tous comptés. Les moineaux, pas un n'est oublié : « Soyez sans crainte, vous valez mieux que tous les moineaux ! » (12, 8). Pas en oubli, et pourtant abandonnés à la mort ? Pas en oubli, mais livrés, persécutés, trahis par les plus proches, haïs de tous et mis à mort ? Mais quelle Providence est-ce là ? On vous tuera, mais « pas un cheveu de votre tête ne sera perdu » (21, 18) ? De qui se moque-t-on ?

Mais si l'on comprend qu'il s'agit de la Résurrection, le langage, alors, devient très clair : « Par votre persévérance, vous gagnerez la vie » (21, 19). La Vie qui ne sera pas une vague perdurance de quelques restes spirituels de l'homme que je fus. La vie qui ne perdra rien de ce que je suis devenu. La vie qui sera, alors, la preuve que « personne n'est en oubli devant Dieu ». La vie : son œuvre, mais aussi ma victoire !

Que fait donc la Providence ? Elle « n'oublie pas » l'homme dans son combat, elle soutient sa liberté et sa persévérance, elle lui donne, par l'Esprit, une sagesse et un langage pour résister et témoigner (21, 15 ; 12, 11-12), bref : elle le fait vivre déjà au cœur de la mort, en attendant de faire fleurir cette vie dans l'espace nouveau du Royaume auprès de Dieu. En grec, « persévérer » signifie exactement « rester dessous » : la Providence n'intervient pas pour ôter le fardeau, elle soutient l'homme pour qu'il le porte jusqu'au bout.

Le travail de Dieu : ressusciter

« Mon Père travaille toujours, et moi aussi je travaille » (Jn 7, 17). Un homme infirme depuis trente-huit ans, qui croupissait dans la piscine de Bezatha parmi « une foule d'infirmes, aveugles, boiteux, impotents » (5, 3). Il lui fallait arriver une fois le premier dans l'eau agitée « par l'ange du Seigneur, mais toujours un plus rapide que lui l'emportait.

D'une simple parole, Jésus le guérit. Mais cette guérison prend une signification encore plus grande par le fait qu'elle a lieu un jour de sabbat. C'est l'espace réservé à Dieu, à son action, au souvenir et à l'attente de ses œuvres de salut. Jésus envahit cet espace et proclame donc une révélation sur lui-même : « Mon Père travaille toujours et moi aussi je travaille. »

« Mais c'était pour les Juifs une raison de plus de vouloir le tuer, puisque, non content de violer le sabbat, Jésus appelait encore Dieu son propre Père, se faisant ainsi l'égal de Dieu » (5, 18).

Quelle folie ! Tuer l'homme qui vient enfin révéler un Dieu tel qu'on le souhaite, un Dieu qui guérit. L'homme qui vient faire éclater la puissance divine là où on l'attend, là où l'on en a tant besoin : dans l'utile, dans l'intervention merveilleuse ! Mais voilà que la révélation se poursuit, pour la plus grande déception du désir humain. Jésus développe sa pensée sur ce « travail » qu'il partage avec Dieu le Père. En deux versets (19-20), 5 fois le verbe « faire », et 1 fois le mot « œuvres ». L'homme rêvant d'interventions utiles et de guérisons connaît un réveil cruel : « Le Père ressuscite les morts et les rend à la vie » (21). Tel est le « travail » de Dieu, tel est identiquement aussi celui de Jésus : il ressuscite les morts !

Le désir humain s'exprime spontanément dans la religion par l'espoir d'obtenir un Dieu utile, un Dieu intervenant, un Dieu qui guérisse. Provoqué par la parole de Jésus, il lui faut se convertir à la foi en un Dieu qui laisse l'homme dans le combat de la vie, qui ressuscite les morts et les rend à la vie.

Dans la vie de l'homme, la mort ne surgit pas seulement au moment du décès physique. Elle a tant et tant d'avant-coureurs qui s'appellent peur, méfiance, désespoir et toutes les manœuvres de protection et de convoitise qui s'en inspirent. Dans le combat pour la vie, la mort triomphe lentement, par étapes nombreuses et parfois cachées. La Providence du Dieu qui ressuscite ne se contente pas d'attendre le mort achevé pour le ressusciter : il serait trop tard, il n'y aurait peut-être plus rien à ressusciter. La Providence accompagne, soutient, instruit et attire dans la vie constamment. Elle laisse l'homme livré au combat de la vie et de la mort, mais l'attire constamment vers la Résurrection. Se refusant à être utile, guérisseuse, elle se veut par contre actuelle, présente à la liberté, pour la faire vivre constamment, pour la ressusciter à chaque atteinte de la mort : « Celui qui écoute ma parole et croit en Celui qui m'a envoyé, *a* (déjà) la vie éternelle, *est* (déjà) passé de la mort à la vie » (5, 24).

Et les miracles de Jésus ?

Pourtant, il y a bel et bien eu guérison, miracle. Cet homme gisait depuis trente-huit ans et le voilà soudain guéri. Pourquoi exclure le miracle de la révélation ? Ne fait-il pas partie intégrale du ministère de Jésus ? Et n'a-t-il pas aussi promis que des miracles accompagneraient les croyants : chasser les démons, parler en langues, toucher impunément des serpents, boire sans risque du poison et guérir les malades (cf. Mc 16, 17) ? L'Eglise n'a-t-elle pas ainsi à prolonger dans le monde le contexte merveilleux dans lequel Jésus avait inauguré sa prédication : « Les aveugles voient, les boiteux marchent, les lépreux sont guéris, les sourds entendent et les morts ressuscitent ! » (Mt 11, 5) ?

S'il en était bien ainsi, si Jésus était venu répondre si parfaitement au désir humain de voir la puissance divine se rendre utile, s'il avait ouvert pour les croyants une existence merveilleusement libérée de la fragilité, alors on ne verrait pas pourquoi Jésus aurait dû ajouter l'avertissement : « Heureux celui pour qui je ne serai pas une occasion de scandale » (Mt 11, 6) !

Mais si parmi « la foule d'infirmes, aveugles, boiteux et impotents » (Jn 5, 3), un seul est guéri, alors reste le scandale d'un messie qui ne répond pas aux espoirs religieux des hommes ! Si le miracle reste quelque chose de très limité, s'il n'est donné qu'en réponse à la foi (cf. Mc 6, 6), et s'il n'a qu'un lien provisoire avec la foi, juste pour l'authentifier en ces débuts, si Jésus souhaite passer le plus vite possible à la foi adulte qui croit sans voir signes et prodiges (cf. Jn 4, 4 et 20, 29), alors reste le scandale d'un messie impuissant et qui laisse le monde sous le signe de l'absence de Dieu, qui laisse l'existence des croyants livrée au combat de la vie et de la mort : ce sera le combat de leur foi en un Dieu qui ne guérit pas mais qui ressuscite.

Quant aux miracles qui sont censés littéralement «accompagner les croyants» (Mc 16, 17), ne serait-ce pas un langage emphatique, puisant dans le merveilleux mais voulant simplement signifier la force intérieure des croyants capables de ne pas se laisser abattre, de vaincre par leur foi, pas par le miracle, les dangers que leur témoignage rencontre.

En tout cas, c'est ainsi que Paul, en un langage réaliste et simple parle de sa propre manière de «vaincre» les dangers, de son assurance, de l'amour de Dieu dont rien ne pourra le séparer (cf. Rm 8, 35-39). Cette certitude de foi n'élimine nullement son existence réelle où il se voit traité comme «bête de boucherie»!

Les miracles de Jésus ne viennent pas révéler et authentifier un monde nouveau, merveilleux, où, à condition de croire, de prier et d'agir selon la volonté de Dieu, le croyant serait en droit d'attendre de Dieu protection, ménagement, confort, bonheur, succès et santé.

Les miracles sont des signes qui accompagnent la révélation de Jésus. Jésus se révèle comme présence de Dieu parmi les hommes, donc comme celui qui mérite d'attirer le désir de l'homme en une confiance absolue. Qu'elle soit dite par Jésus lui-même, — exemple : «Tes péchés sont remis» — ou par son interlocuteur — exemple : «Si tu veux, tu peux me guérir» — la parole qui révèle Jésus doit être authentifiée, accréditée sur le champ. Par le miracle, qui est signe accompagnant, authentifiant la parole et lui donnant une présence plénière, percutante, dans le monde : «Afin que vous sachiez que le Fils de l'homme a pouvoir sur terre de remettre les péchés, je te dis : «Lève-toi et marche» (Mc 2, 10).

Mais signe limité : toutes les détresses d'Israël n'ont pas été guéries, loin de là. Même Lazare, le réanimé, aura quand même dû mourir à nouveau !

Et signe provisoire : nécessaire au début pour accréditer la parole, lui donner comme un droit de cité dans l'histoire, le miracle, c'est le passeport de la parole : il lui permet d'entrer dans le pays de la réalité humaine. Le passeport ne sert qu'à la douane. Ensuite, la parole reste seule et c'est par le témoignage de la vie des croyants qu'elle s'accrédite et fait son chemin.

Il est certes de bonne politique commerciale — la guérison, le bonheur, le succès, on paie n'importe quoi pour les avoir ! — il est certes aussi de bonne démagogie — pourquoi ne pas parler dans le sens naturel du désir et de l'espoir de l'homme qui souffre ? — mais il reste que c'est une honte évangélique, une injure au Dieu de la Révélation et une injustice grave envers l'homme que de lui faire croire que Dieu n'attend que sa prière, sa foi et ses bonnes œuvres pour lui donner une vie douillette et lui épargner le combat de la vie et de la mort ! Reprenons la conclusion de la deuxième lettre de Pierre (3, 17) : le croyant doit être *averti, prévenu* qu'il vit sous le signe de la « patience » de Dieu. C'est en regardant les choses en face, en comprenant bien son existence, qu'il ne perdra pas sa belle « assurance » mais pourra au contraire « croître dans la grâce et la connaissance de notre Seigneur et Sauveur Jésus ». Malhonnête et perverse toute autre parole qui vient berner l'homme par de faux espoirs, l'enfermer dans ses besoins, et bientôt, par la déception inévitable qu'apporte la vie, le livrer à la malcroyance et à l'athéisme ! Il est des discours, apparemment merveilleux de confiance et de piété en Dieu, mais qui sont en fait de parfaites glissières vers l'impiété et qui occultent pour ceux qui la cherchent l'authentique expérience de la foi. « Malheureux êtes-vous, légistes, vous avez pris la clé de la connaissance : vous n'êtes pas entrés vous-mêmes, et ceux qui voulaient entrer, vous les en avez empêchés » (Lc 11, 52).

4. JÉSUS, L'HOMME LIVRÉ ET DÉLIVRÉ

D'un bout à l'autre de sa vie, Jésus n'est que déception pour le religieux.

Noël : le Christ Sauveur se présente sous le signe d'un nouveau-é. On attendait un Dieu puissant qui prendrait enfin son rôle au sérieux et viendrait mettre de l'ordre sur la terre — on reçoit un enfant impuissant, un de plus à nous être confié. Ne serait-ce pas précisément cette déception religieuse, la conscience désormais largement prise que sur ce plan-là Noël n'est qu'un leurre, qui fait la large sécularisation et insignifiance de cette fête ? Ou l'on dépasse le scandale du désir déçu et on se laisse entraîner dans la foi, ou l'on s'efforce de compenser tant bien que mal en essayant, bien en vain, de se faire des surprises et de mettre l'appétit à la place du désir.

A l'autre bout, la mort de Jésus. Un homme abandonné et qui crie son abandon : « Mon Dieu, mon Dieu, pourquoi m'as-tu abandonné ? » (Mt 27, 46). Un complot a été ourdi contre lui : tout a fonctionné, tout fonctionnera jusqu'au bout. Dieu n'intervient pas, et ce n'est ni par manque de puissance, ni à cause de l'indignité de Jésus. Dieu « n'épargne pas son propre Fils, il le *livre* pour nous tous » (Rm 8, 32), comme tous les hommes sont livrés (cf. Rm 1, 24.26.28), livrés à l'histoire et à toutes les forces autonomes qui s'y trouvent. Jésus est seul dans l'événement.

Dieu pourtant est proche de Jésus : dès le début de l'affrontement douloureux, paniquant, avec la mort et son angoisse, au jardin des Oliviers, lors de la sueur de sang, Dieu le « fortifie ». Mais il revient à Jésus, l'homme placé pour cela au carrefour de toute l'histoire, de faire la synthèse, de dire « Père » alors qu'il vit le Dieu absent, de faire foi à la puissance de Dieu, de se confier aux mains de celui qui fait vivre, alors qu'il ne voit que celles qui le repoussent, le blessent et le tuent, d'expirer son souffle défaillant comme le lever d'une tempête que le Dieu de la Résurrection fera souffler sur lui et sur tous les hommes : « Père, entre tes mains, je remets mon souffle. »

On peut parler des miracles de Jésus, de ceux des saints tout au long de l'histoire, de ceux de Lourdes de nos jours encore. Si on les accueille comme encouragement provisoire à vivre soi-même la croix de Jésus, alors c'est bien. Mais si on les demande pour lui échapper et surtout si on les fait espérer pour voiler ce nécessaire passage, alors c'est fourberie et tromperie. Il n'y a de vérité pour l'homme que celle qui le conduit ouvertement vers cet affrontement de l'absence de Dieu. C'est le passage obligé vers la délivrance et la plénitude du désir.

Jésus ne meurt pas seul. Les hommes meurent avec lui, autour de lui. L'un meurt en hurlant son horrible déception, et ses injures envers le Dieu qui le déçoit si cruellement. C'est le fruit normal de la religion, camouflé autrefois sous des apparences de piété, tant qu'il y avait encore de l'espoir d'émouvoir, de convaincre, d'obtenir une grâce. Mais quand la vanité de l'entreprise religieuse s'impose définitivement, alors il ne reste que l'injure, et le désespoir. L'un des malfaiteurs crucifiés avec Jésus l'insultait : « N'est-tu pas le Messie ? Alors sauve-toi toi-même et nous aussi ! » (Lc 23, 39).

L'autre, mais d'où vient donc la différence ? l'autre, instruit
secrètement de Dieu et par Dieu, voit déjà se lever, derrière
l'homme livré, l'être achevé d'un nouvel espace de vie, le Roi d'un
Royaume. Livré lui-même, il se sait proche d'être délivré et se
laisse attirer dans la foi. «Jésus, souviens-toi de moi quand tu
viendras comme Roi.» Jésus lui dit : «En vérité, aujourd'hui tu
seras avec moi dans le paradis» (Lc 23, 43). Religion ou foi : deux
manières de vivre, surtout et inévitablement deux manières de
mourir. Une seule conduit à la Vie. Une seule fait accéder le désir
de l'homme fragile au Désir du Dieu Vivant.

TROISIÈME PARTIE

LA PRIÈRE

Tel Dieu, telle prière

Quand on aime profondément quelqu'un, quand cet amour anime une communion qui le fait bien connaître, on ne supporte pas d'en entendre dire du mal. Ainsi du croyant au sujet de Dieu. Notre propos de démasquer Dieu, de lui ôter les masques dont l'affublent religion et athéisme s'inspire de cette logique.

Dieu est une puissance, dit la religion, et l'homme, faible devant le puissant, doit se mettre à l'œuvre pour mériter de subsister devant lui, pour capter un peu de cette puissance au profit de ses désirs.

Dieu est une projection de l'homme, dit l'athéisme, une projection de sa peur, de sa faiblesse, de son désir de sécurité et de puissance.

Le croyant, nous l'avons vu, consent largement à cette critique, à condition qu'il soit bien clair qu'elle atteint le Dieu de la religion, nullement celui de la foi.

Car la foi se distingue de la religion par une double rupture quant au sens de Dieu. Première rupture : dans la foi, Dieu se révèle comme une puissance de vie pour l'homme ; la relation homme-Dieu en est totalement bouleversée, c'est par une conversion radicale que l'on y accède. Ce fut l'objet de notre Iʳᵉ partie.

Deuxième rupture : au cœur même de la foi déjà découverte, et pour qu'il soit bien clair que Dieu n'est pas une projection du désir de l'homme, Dieu s'affirme toujours, et parfois durement, comme l'Insaisissable, l'Absent, l'Inutile, Celui qui ne bouge pas, n'intervient pas, Celui qui laisse l'homme à son combat, alors même qu'il va y être terrassé. On accède à ce Dieu par une conversion constamment reprise : Dieu échappe au désir de l'homme tout en l'attirant. Dure pédagogie, mais comment faire autrement ? Comment le désir de l'homme apprendrait-il à se projeter au-delà de tous ses besoins jusqu'à Dieu lui-même en ce qu'Il est, s'il se trouvait sans cesse satisfait en lui-même par ce que Dieu fait ? N'exigeons-nous pas aussi d'être aimés pour nous-mêmes et non pour l'utilité que nous avons, d'être choisis et jamais possédés ?

Ce fut l'objet de notre IIe partie : avec elle s'achevait au fond l'exposé de la thèse qui guidait notre étude. Mais il faut encore lui apporter comme un complément nécessaire, à la fois de preuve et d'explication. En effet, s'il en est ainsi de Dieu, que devient donc la prière ? Acte fondamental de toute religion, la prière est le lieu où se révèle, s'exerce et s'épanouit le sens que l'on a de Dieu. Tel Dieu, telle prière !

Parler de la prière en cette dernière partie, c'est donc achever de découvrir, par une dernière argumentation, ce visage différent du Dieu de la foi, et c'est aussi mettre en place, au cœur de l'expérience de la foi, la fonction fondamentale de la prière.

I

LES AVATARS DE LA PRIÈRE

1. Prier pour que Dieu agisse

Dans la religion, la prière est essentiellement une action entreprise *pour que Dieu* fasse ce que le désir de l'homme attend de lui. Le faible s'efforce d'atteindre le puissant pour le sortir de son absence, de son courroux, pour satisfaire à ses exigences et lui arracher quelque faveur. Dans le schéma de la relation religieuse, la prière prend une place bien précise :

Il y a d'abord la religion de la peur. La prière y est vécue essentiellement comme un *devoir*. Il faut satisfaire aux exigences de Dieu, sinon on ne pourra plus subsister devant Lui, son terrible jugement nous atteindra, en ce monde peut-être, dans l'autre à coup sûr. La prière émane donc du souci anxieux de se faire valoir devant Dieu en étant bien fidèle à ses exigences. Elle est motivée tout à la fois par le désir d'acquérir des mérites devant Dieu et par la nécessité de compenser les péchés commis, de se récupérer devant Dieu. Le religieux de la peur prie *pour que Dieu ne le condamne pas,* pour lui arracher un verdict favorable.

Ou pour ne pas commettre un péché mortel! « Si tu ne vas pas à la messe le dimanche, tu fais un péché mortel. » Accomplir le « devoir » dominical! Chacun le sait : le devoir dominical est à la prière ce que le devoir conjugal est à l'amour! Il est étonnant de voir le nombre de gens qui pensent que Dieu ne fait pas la différence!

Il y a aussi la religion de l'utile. La prière est alors motivée par l'intérêt : plongé dans une situation qui dépasse nos moyens habituels d'action, on prie *pour que Dieu intervienne,* et se rende utile dans la vie de l'homme.

Devoir et intérêt, peur et utilité : ces motivations peuvent se mélanger. La prière satisfait alors aux exigences de Dieu dans le but d'obtenir en retour que Dieu nous fasse une bonne vie, un monde vivable. Prier, c'est conserver du crédit auprès de Dieu : quand les choses se gâtent un beau jour, on est bien content de pouvoir puiser dans un compte bien garni.

Je connais un prêtre qui proclamait avec fierté dans un journal local que sa paroisse, « à la différence de la paroisse voisine », se voyait épargner depuis des années tout accident mortel de circulation sur son territoire, aux routes pourtant mal aménagées, grâce à la prière constante d'une confrérie du Saint-Sacrement. Mais voici que cette confrérie bat de l'aile et parle de se dissoudre, ajoutait-il : eh bien! tout de suite, il y eut deux accidents mortels! Comme la prière religieuse fonctionne bien, entre la carotte et le bâton!

Que des hommes et des femmes, plongés soudain dans la détresse, réagissent d'abord de cette façon, rien de plus normal, nous le verrons : la prière de la foi, comme la foi elle-même, n'est jamais acquise. La conversion n'est pas faite du premier coup! Par contre, quand, de sang froid, calmement, objectivement et avec une autorité qui est censée venir de Dieu et de sa parole dans le Christ et l'Eglise, on emprisonne la prière dans l'espace de la peur et de l'intérêt, on s'en prend à la dignité même de Dieu et de l'homme!

Quoi d'étonnant qu'un tel climat provoque l'abandon révolté ou simplement lucide de la prière? Parler ainsi de la prière, c'est à plus longue échéance répandre l'athéisme de manière très efficace ! Comment, en effet, ne pas se détourner d'une telle prière et d'un tel Dieu ?

Le rejet athée

La prière religieuse présente un flanc largement découvert à la critique athée, critique mortelle pour ses deux motivations. L'athéisme existentialiste, nous l'avons dit, est allergique à la motivation religieuse de la peur. Il va donc violemment protester contre cette prière qui asservit l'homme à l'idole, qui gère la peur de l'homme tout en l'y maintenant : l'homme ne peut que s'épuiser à vouloir satisfaire l'idole, et la certitude d'avoir fait tout son devoir ne cache la peur que pour un instant. Ou alors c'est dans la fausse sécurité que confère la prière, dans la vaine certitude d'être à l'abri de toute détresse entre les mains de Dieu, que se trouve l'aliénation de l'homme. La divinité tutélaire à qui il se livre le prive de son existence réelle faite de fragilité, d'audace, d'aventure, de création et de responsabilité, pour l'enfermer dans un espace étriqué, unidimensionnel : l'immobilisme du devoir. On est sûr d'avoir Dieu avec soi, mais on est mort, figé, depuis longtemps.

L'athéisme pratique, sensible à la motivation religieuse de l'utile, récuse cette prière qui maintient l'homme dans l'ignorance des forces réelles du monde et de la vie, ou dans une attitude infantile face aux enjeux réels de l'histoire et de la société. Faites une journée de prière pour le tiers monde, cela ne dérangera personne ! Faites une journée d'analyse sur les mécanismes du sous-développement, ce sera une provocation insoutenable pour beaucoup ! Le désir d'efficacité doit tourner l'homme vers les moyens vraiments efficaces, ceux de la science, de la technique, de l'organisation et du travail. La prière est donc abandonnée comme inutile, inefficace !

L'expérience de la prière se transmet par la parole, mais plus encore par l'exemple, par le climat, par la qualité de vie de ceux qui prient. La meilleure catéchèse scolaire est impuissante, généralement, face à l'ambiance quotidienne où vit le jeune. Le parlé ne fait pas le poids contre le vécu. Et quand le vécu est fait de peur, d'habitudes figées dans le devoir, de naïveté religieuse : « Prie et Dieu te rendra heureux — si tu ne pries pas, Dieu te punira », et de calculs serviles, ce vécu parle bien plus fort que toute autre parole et pousse le jeune résolument vers l'athéisme. C'est un alibi trop facile d'accuser alors les jeunes prêtres de ne plus oser affirmer le devoir strict de la messe dominicale !

Prier dans la malcroyance

Quand la religion s'attire une critique ouverte et généralisée de la part de l'athéisme, quand l'appel à la conversion et à la foi profite de cette situation ouverte et généralisée pour se faire plus pressant, plus provocant, la malcroyance devient un état très répandu : elle est le fait de tous ceux qui ne réussissent pas à assumer cette mutation, à l'achever jusqu'au bout, qui restent entre deux eaux, n'osant pas se décider, ou ne sachant pas comment se décider, ou même ne percevant pas la nécessité de se décider. Certains sont ainsi installés dans la malcroyance, cachant ce malaise comme une chose honteuse, indigne de leur appartenance active à l'Eglise. Ou l'avouant et en profitant pour mener une vie terne, tiède, ni chaud ni froid, le minimum prescrit. D'autres retombent dans la malcroyance à l'occasion de certains événements pénibles qui font chavirer un équilibre acquis, celui de la foi, de la religion ou de l'athéisme.

Malcroyance par insuffisante perception de la foi. Ainsi, on a entendu la parole : « Ce ne sont pas ceux qui disent : Seigneur, mais ceux qui font la volonté de Dieu... » et on se lance très généreusement dans l'action, tandis que la prière s'estompe de plus en plus dans le soupçon. Malaise qui provoquera facilement un jour l'abandon, voire le rejet athée de la prière, ou, quand l'action aura déçu et fatigué, la régression religieuse dans une prière colonisant tout l'espace religieux. Que de groupes charismatiques sont le fruit d'une telle évolution !

Malcroyance par insuffisante critique de la religion. On reste entre deux eaux, n'osant pas se déterminer, entretenant en soi le poison du doute, ne sachant pas profiter de cette tension pour aller plus loin dans la foi.

La recherche de liberté et de dignité de l'athéisme existentialiste est bien perçue, mais sans annuler pour autant le souvenir du Puissant et de ses exigences : on accomplit donc ses devoirs religieux, mais on les réduit au minimum. Quantitatif, mais surtout qualitatif. Il faut ranger dans cette malcroyance des gens qui satisfont pleinement aux exigences religieuses quantitatives, mais ont perdu toute prière personnelle, tout mouvement spontané du cœur. D'autres restent entre deux eaux quant à l'utilité pratique de la prière. Ils ont largement adopté la critique religieuse sur ce point et savent parfaitement que l'irrigation est plus efficace que les rogations pour le succès des cultures. Mais enfin, on ne sait jamais, le Puissant existe quand même : le jour où notre technique serait complètement dépassée par un drame, une catastrophe, il serait quand même utile de pouvoir compter sur lui. Et voilà : on va donc entretenir de bons rapports avec le Puissant, garder un compte ouvert chez lui, on ne sait jamais !

Ou si on ne pratique même plus, on se souvient que cela existe et on s'y précipitera intensément le jour de la détresse. Que la prière est belle et bonne tout-à-coup ! Et quelle ferveur, quelle supplication, quelle piété ! En attendant que la déception de ne pas être exaucés les renvoie dans un athéisme encore plus résolu. A moins que la peur revenue les asservisse à nouveau à la religion.

On ne peut pas rester éternellement dans la malcroyance. Il faut régresser ou progresser. Sans prouver cette affirmation par une étude statistique, on peut dire sans risque de se tromper, tant cela est évident à l'expérience, que la majorité des baptisés est constituée de malcroyants.

Les responsables, prêtres, éducateurs, peuvent aborder ce problème par une pastorale ou attitude régressive : la malcroyance y est présentée comme un doute honteux que le sens du devoir, la fidélité à Dieu et le besoin de sa protection constante permettront aisément d'étouffer. On ferme ainsi l'accès à la foi.

Ou par une pastorale ou attitude permissive, libérale. Elle est le propre de responsables plongés eux-mêmes dans la malcroyance. On parlera alors, avec raison, d'authenticité, de sincérité, on reconnaîtra et accueillera la malcroyance mais sans savoir la guider pour en faire un passage vers l'équilibre plénier de la foi. On n'ouvre pas l'accès à la foi, on laisse donc glisser vers l'athéisme, ou régresser en religion.

Ou enfin une pastorale ou attitude positive, progressive, de conversion et de révélation. Il faut avoir résolu sa propre malcroyance, avoir accédé soi-même à la foi, pour pouvoir aider d'autres à ne pas avoir peur du doute, de la critique religieuse, à sortir du sein de la religion, à avancer résolument sur les voies de la liberté et du sens et à s'engager enfin sur les chantiers difficiles mais exaltants et convaincants de l'existence croyante. Seule une telle pastorale ou attitude saura surtout créer peu à peu un climat, un vécu qui ne vienne plus contredire la parole de foi, mais bien plutôt l'animer et la vérifier.

II

LA PRIÈRE DE LA FOI

Prier parce que Dieu agit

Double rupture d'avec la religion, la foi se développe sous le signe de la Révélation : Dieu se manifeste activement comme puissance pour l'homme, non pas au niveau utile de la satisfaction de ses besoins, mais bien au cœur de sa liberté comme sens et attirance de son désir.

La prière de la foi va donc s'inscrire dans ce même contexte : le croyant prie, non pas pour que Dieu (ré)agisse, mais bien *parce que Dieu agit* comme puissance de vie, et *pour que l'homme accueille* et *vive*. La motivation de cette prière n'est pas la peur et le devoir, ni la fragilité et l'intérêt, mais simplement le désir d'exister : la prière de la foi est un exercice explicite, un temps désintéressé, une rencontre cultivée, une fréquentation de Dieu, pour vivre et intensifier l'expérience de la foi.

Cette perception nouvelle de la prière comme accueil de Dieu (*parce que Dieu agit*) et action sur soi-même (*pour que l'homme accueille et vive*) s'éloigne radicalement de la religion qui fait de la prière une action sur Dieu, au profit des besoins de l'homme : le schéma ci-après le souligne bien.

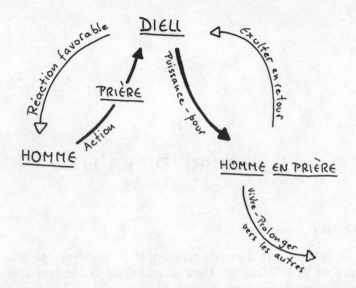

Elle échappe aussi à la critique athée : la prière de la foi n'est ni aliénation de la liberté, ni immobilisme de l'existence, ni recherche infantile d'une protection merveilleuse.

Les trois fonctions de la prière

Exercice explicite de l'expérience de la foi, la prière va nécessairement reproduire en elle les trois fonctions que nous lui avons découvertes.

Première fonction de l'expérience de la foi : c'est Dieu qui, par l'Esprit et par la parole, se révèle à l'homme, lui fait connaître son amour, sa puissance pour la vie. L'action part de Dieu, et, en face, l'homme doit simplement être réceptif, accueillant. N'oublions pas cette dimension spécifique, nouvelle par rapport à la religion : ce n'est pas l'homme qui agit sur Dieu pour déclencher sa bienveillance en retour. C'est Dieu qui est Amour et qui se révèle à l'homme comme amour pour lui (cf. 1 Jn 4, 8-10).

Le soleil est déjà levé. Ouvrir mes volets ne fait pas lever le soleil, cela permet seulement au soleil d'entrer dans ma maison, de la réchauffer et de l'illuminer. Telle est la première fonction de la prière : Dieu est déjà levé sur ma vie, je le laisse entrer.

1. DIEU ME FAIT EXISTER : JE L'ACCUEILLE

Comment Dieu me fait-il exister ? As-tu fait l'expérience de l'amour ? l'expérience de la parole d'amour qui fait exister l'autre ? As-tu osé dépendre, pour le bonheur ou pour le malheur, de la parole d'amour d'un autre, et après avoir tremblé as-tu exulté de joie à la recevoir, alors que rien en toi ne pouvait l'exiger ? et à te la savoir fidèlement acquise, sans que ce soit pour toi une faveur à arracher sans cesse ?

Mais où donc retentit la parole d'amour de Dieu ? Pour tout homme croyant, elle se murmure au cœur de sa liberté, là où le Verbe de Dieu « éclaire tout homme » (Jn 1, 9), là où l'Esprit vient rendre le cœur de l'homme attentif à la présence.

Cette présence tellement mêlée d'absence dans les événements de la nature et de l'existence, cette présence annoncée de manière encore obscure et ambiguë dans les rites et les signes des religions : dans le Christ, dans les événements et les paroles de l'Ancien et du Nouveau Testament, cette présence s'est donné la révélation définitive, un trésor de paroles que l'Esprit fait revivre pour moi, aujourd'hui.

Fréquentation de la Parole de Dieu, dans un psaume, auprès d'un prophète, avec un apôtre, auprès de Jésus lui-même dans un évangile : chacune de ces paroles peut devenir parole d'amour pour moi, aujourd'hui, et elle me *fait exister*. Elle me redonne sens et respiration, elle rassemble ma liberté dissociée, regroupe ma vie éclatée. Elle me redonne Celui pour qui je vis, pour qui je puis vivre. Elle vient réveiller et épanouir en moi la couche la plus profonde, la plus sensible, la plus vraie de mon désir : être reconnu par Dieu et Le reconnaître, et que cette alliance soit à toute mon existence d'homme ou de femme ce que le cœur est à mon corps.

Prier, c'est donc prendre du temps pour cultiver une relation et en jouir. Pas par devoir, ni par intérêt. Pour le plaisir d'être avec Lui, pour ce qu'Il est pour moi, pour ce que je puis devenir auprès de Lui. Qui ne vit des relations que mondaines ou d'affaires et s'en contente, qui n'a jamais tenté une descente en lui-même, en son propre mystère, qui n'a jamais invité personne à l'y accompagner et ne s'est offert à personne pour l'y accompagner, un tel homme restera étranger à la prière. La prière religieuse ne lui fera pas grand problème, c'est un genre connu : le devoir, l'intérêt ! Mais la prière de la foi, c'est du chinois : un autre me fait exister, je me laisse faire exister par un autre, je cours l'aventure d'explorer mes profondeurs, de ne pas seulement vivre en producteur (même efficace) et en consommateur (même averti), mais d'exister. Exister ? Je vous en prie !

C'est cet espace de relation entre existants, Dieu et moi, quui fonde la foi, la prière de la foi et qui fait toute la différence avec la religion.

La religion fait fonctionner le devoir, élève ainsi la barrière de mérites qui camouflera ma peur et me protégera du puissant : je suis en ordre, j'ai fait toutes mes prières, j'ai accompli mon devoir, il ne peut rien me reprocher !

Pour la foi, le devoir est un meuble et un meuble n'a de sens qu'à l'intérieur d'une maison. Dehors, il est ridicule, incongru, et le soleil et la pluie l'auront vite détérioré. Dans la maison, il a sa place, il est utile. Si le devoir est un meuble — et pas une maison ! — la maison qui lui donne sens et place, c'est la relation d'amour. Voilà la maison qu'habite la prière et elle y utilise de nombreux meubles. Parmi eux le devoir, pour les périodes difficiles, quand il faut tenir le coup. Mais un meuble ne pourra jamais servir de maison, on habite mal dans un placard !

> Une chose qu'au Seigneur je demande,
>   la chose que je cherche,
> c'est d'habiter la maison du Seigneur
>   tous les jours de ma vie,
> de savourer la douceur du Seigneur,
>   de chercher son palais.
>
> (Ps 27, 4.)

Pourquoi faut-il que des gens logent dans des armoires alors qu'ils pourraient habiter un palais ? Mais aussi : quand des gens, quand des jeunes refusent de loger dans des armoires, pourquoi faut-il qu'il y en ait d'autres qui s'efforcent de les y contraindre, au lieu d'en profiter pour les conduire vers le palais ?

Une telle prière n'est pas asservissement à l'idole, recherche infantile de sécurité, étroitesse d'une existence figée dans le devoir et la peur. Elle est existence, existence recueillie en son cœur qui est le désir de l'Autre, liberté respirée dans la rencontre avec l'Autre, jouissance ranimant les forces vives de l'homme, sens confié à toute l'aventure humaine qui va s'en dérouler.

La religion fait aussi fonctionner l'intérêt, donnant à l'homme les moyens censés aptes à remettre Dieu du bon côté des entreprises humaines : le jour où tu seras dans le malheur, tu seras bien content d'avoir prié et de pouvoir appeler Dieu à ton aide.

Pour la foi, l'intérêt demeure. Quoi de plus intéressant que de se laisser aimer et faire exister par un autre ! Quoi de plus intéressant que de jouir longuement de cette rencontre ! A ce niveau-là, le désintéressement n'existe pas. Il y a certes le désintéressement de l'avoir : j'agis pour l'autre, pour son bien, non pour gagner et avoir quelque chose. Mais il n'y a pas de désintéressement de l'être : l'être est ainsi fait qu'il devient ce qu'il fait, et il le sait, et il le désire. L'acte le plus désintéressé au niveau de l'avoir est aussi celui qui m'enrichit le plus au niveau de l'être, celui donc qui m'intéresse le plus. A condition de savoir ce que c'est qu'exister ! Désintéressement donc et parfaite gratuité de la prière, sur le plan de l'obtention de tel ou tel avantage. Mais enrichissement profond et goûté, recherché, entraîné, exercé, sur le plan de l'existence, de la liberté et du sens. Notre prière est celle du pauvre. Il revient à notre organisation, à notre travail de pallier notre pauvreté d'avoir. Mais notre pauvreté d'être, seul un autre, seul l'Autre peut la transformer en richesse. L'Autre rencontré dans la prière :

> De toi mon cœur a dit :
>   cherche son visage.
> C'est ton visage, Seigneur, que je cherche.

(Ps 27, 8.)

2. JE ME PRÉPARE À EXISTER AVEC DIEU

La première fonction de la foi est réceptive et récréatrice : dans la rencontre du Dieu qui est Amour, Justice et Prédestination pour moi, mon désir d'homme ou de femme a pu fleurir en ses couches les plus profondes. Il a pu se reconnaître en étant reconnu, il se sait aimable puisque aimé : il peut maintenant se dilater en liberté active puisqu'il a été gratifié d'un regard de confiance.

La première fonction de la prière déclenche la deuxième, active et productive. Il faut prolonger vers les autres, dans le combat de la vie, ce que l'on reçoit de Dieu : la prière va maintenant m'y préparer. Dieu me fait exister auprès de lui pour que je puisse ensuite exister avec lui, agir avec sa justice, aimer avec sa tendresse, marcher humblement et courageusement avec lui dans le combat de la vie.

La prière me prépare donc à exister avec Dieu. Ce que j'ai reçu de Dieu, je me prépare à le prolonger dans le réel, à lui donner forme concrète, présence personnelle, pouvoir actif et transformant dans la vie.

Qu'ai-je reçu ? L'existence. Il faut donc me préparer à faire exister les autres. L'existence, c'est-à-dire d'abord et surtout la liberté, parce que mon désir est bien ancré, son centre de gravité est bien placé, il ne va pas se précipiter comme un fou sur tout ce qui bouge et est désirable. Je puis donc préparer mon action, l'orienter en lui donnant sereinement de bonnes priorités, je puis faire des choix lucides, je puis surtout percevoir les appels des gens et des situations de ma vie. Car il faut être libre, c'est-à-dire comblé en son désir profond, pour faire sienne la règle d'or de l'action humaine, selon l'Evangile : « Tout ce que vous désirez que les autres fassent pour vous, faites-le vous-mêmes pour eux » (Mt 7, 12 ; cf. aussi Rm 13, 8-10). J'imagine le désir de l'autre en me mettant à sa place, ce désir devient ma loi, j'y réponds. Cela ne peut fonctionner que dans la liberté d'un désir profondément comblé.

L'existence, c'est ensuite la justice et la tendresse. Par elles, la liberté s'articule davantage, son horizon se dessine plus précisément. La parole de Dieu m'a atteint et recréé dans la justice : il y a là des contenus très objectifs. N'est pas juste n'importe quoi ! N'est juste que ce qui développe et épanouit réellement l'existence de l'homme. A moi maintenant de me préparer à agir aussi dans la justice, à moi surtout de réfléchir à la lumière de la Parole de Dieu, d'analyser la réalité et les personnes que je vais rencontrer, et de découvrir ce qui concrètement sera juste, sera un exercice positif de mon pouvoir d'action, apportant un épanouissement réel.

Mais la Parole de Dieu m'a atteint aussi dans la tendresse. La tendresse c'est plus qu'un agir correct, positif, c'est une attention spontanée qui atteint l'autre, le touche et le reconnaît en ce qu'il a de plus personnel. Pour agir vraiment avec Dieu, la tendresse, à ses niveaux différents, doit compléter la justice : c'est la tendresse qui fait que les autres ne soient pas seulement l'occasion, la cible d'une action correcte, mais les partenaires d'une relation. L'existence, cela veut dire enfin du souffle, du savoir-durer, de l'endurance. Qui dira jamais l'énergie que confère à l'homme un désir profondément comblé !

Connaissez-vous une profession que la prière ainsi vécue ne rendrait merveilleusement humaine et efficace ? J'ai reçu l'existence : je me prépare donc à faire exister les autres. Avec Dieu, c'est donc maintenant le temps de la réflexion, de l'anticipation sur l'action. C'est alors que se dressent en moi tous les problèmes et les détresses que ma vie m'apporte, toutes les personnes qu'elle me fait côtoyer ou accompagner en solidarité. C'est alors que s'éveille mon désir, non plus dans ses couches profondes, mais en surface : telle réussite, telle possession, telle guérison, telle affection, etc. C'est donc ici, et ici seulement, au deuxième temps de la prière, que montent en moi les demandes, la demande personnelle ou l'intercession pour autrui. La prière devient alors école du désir : l'homme y apprend, dans la force de la liberté reçue, à s'identifier au désir de Dieu, au désir profond de son être, davantage qu'aux désirs et besoins immédiats de sa vie.

Nous y reviendrons plus loin, mais soulignons ici que la prière n'est pas d'abord une demande, n'est pas du tout la démarche commerciale, l'entreprise pour augmenter, assurer ou récupérer son avoir, mais bien l'exercice de l'être qui dans la rencontre avec Dieu ressource et relance son existence. Prier, c'est s'offrir à la création de Dieu, pour l'accueillir et pour la poursuivre. C'est laisser Dieu être Créateur, c'est laisser Dieu être Dieu.

3. JE FAIS EXISTER DIEU

Le troisième temps de l'expérience de la foi, c'est l'action de grâces. Cette troisième fonction, oblative, constitue aussi l'achèvement de la prière. L'existence que l'homme reçoit de Dieu, qu'il prolonge dans le combat de la vie, il la lui rend aussi gonflée de tout ce qu'elle a produit, dans un mouvement irrésistible de reconnaissance joyeuse. Dans ce mouvement, Dieu est pleinement reconnu comme Dieu : l'homme croyant et priant le fait donc exister, lui apportant une dimension, une ampleur qu'il ne possédait pas auparavant. Curieux, profondément vrai et nécessaire renversement des valeurs : le premier temps de la prière est réceptif, donc passif, c'est pourtant par lui que l'homme se met à exister vraiment et accède à la belle activité ; le troisième temps est oblatif, l'homme rend à Dieu tout ce qu'il est et c'est à ce moment que son activité atteint sa plus grande densité : il fait exister Dieu en le reconnaissant pleinement comme son Dieu.

Certains s'offusqueront : faire exister Dieu, apporter à Dieu une plénitude nouvelle ! N'est-il pas l'Infini ? Dieu a lancé une histoire du salut, au terme de laquelle il sera « tout en tous » (1 Co 15, 28). Il y a donc en Dieu du désir et du « pas encore » : « Comme l'époux tire joie de son épouse, en toi ton Dieu prendra sa joie » (Is 62, 5). Chaque étape de l'histoire du salut est un accomplissement partiel du désir de Dieu, un accomplissement que nous lui apportons. La prière est une telle étape, à condition, certes, qu'elle soit vraie et qu'en lien réel avec la vie elle soit à chaque fois l'expression authentique d'une existence.

La religion de la peur ne connaît l'action de grâces que comme une formule dictée par le devoir. « Mais voyons, il faut aussi rendre grâces ! » La religion de l'utile pratique l'alternative : action de grâce si la demande est exaucée ; sinon, froide déception silencieuse, ou blasphème. « Maudis donc Dieu et meurs ! » conseille la femme de Job (2, 9). Dire merci sert aussi à préparer la prochaine demande : rien ne bloque autant le Puissant que l'ingratitude, l'indifférence au don reçu !

La foi rend grâces, mais non pour ce que Dieu fait et après l'avoir constaté. Dans son deuxième temps, celui de l'action, elle a rencontré et traversé l'absence de Dieu. Elle vient rendre grâces alors même qu'elle se voit livrée et abandonnée aux pires détresses, alors même qu'elle voit le monde livré à lui-même et aux pires horreurs. Elle ne rend pas grâces par masochisme, ni par soumission et flagornerie servile — comme le constate Jésus pour les grands de ce monde qui dominent cruellement les gens et se font encore appeler bienfaiteurs (Lc 22, 25) !

Le croyant rend grâces à Dieu à l'occasion de tout événement, heureux ou malheureux, car la raison adéquate de rendre grâces, c'est la gloire de Dieu. « Nous te rendons grâces pour ton immense gloire », et parce qu'elle devient aussi la nôtre, parce qu'elle comble mon désir, parce que mon existence la perçoit, s'en illumine et la transmet.

Selon l'étymologie du mot original hébreu traduit ensuite en grec puis en latin, dans toutes ces langues la grâce c'est le sourire, la bienveillance inscrite sur le visage et dans toute l'attitude d'une personne. La grâce, c'est Dieu qui me sourit, et sous ce regard mon existence s'éveille et s'affermit, mon propre regard devient ferme et capable d'en éveiller d'autres. Et rendre grâces, c'est sourire en retour, le regard rempli de toute cette expérience confiée, portée et attirée.

Confiée par Dieu, jamais donnée toute faite. Portée par l'homme, avec des hauts et des bas, avec ses générosités et ses lâchetés, avec aisance ou dans la détresse. Attirée par Dieu, mais jamais miraculeusement transformée ni tenue au beau fixe par l'intervention de Dieu. C'est à travers cette aventure que grandit une existence authentiquement humaine, et, avec elle, la connaissance de Dieu, la perception de mon désir comblé par Dieu et alors, inévitablement, comme par un tressaillement de joie irrésistible (cf. Lc 10, 21) : l'action de grâces.

Voilà beaucoup de mots, trop peut-être, ou trop peu et trop malhabiles, pour décrire cet acte fondamental qu'est la prière, surtout pour la dédouaner résolument de cet affreux petit marchandage étriqué, ou de cet exercice ennuyeux et oppressant que la religion en a fait.

La description donnée ici se veut systématique et nécessairement idéale. La prière réelle, dans le quotidien, et dans certains temps forts, ne doit pas passer systématiquement et dans l'ordre par les trois temps énoncés. Elle ne sera pas toujours émotion, tressaillement et exultation. Pourvu qu'elle le soit parfois, pourvu que l'expérience en soit faite qui nourrit l'endurance, le savoir-durer.

Dieu mérite quand même d'être recherché. Pas le Dieu de la religion : celui-là n'est que déception et ruine de l'homme. Mais le vrai Dieu, celui dont la gloire est l'homme vivant.

III

LA PRIÈRE
ET LES DEMANDES

Il y a prière quand se rencontrent le désir de Dieu et le désir de l'homme. Le désir de l'homme, c'est ce qu'il y a de meilleur en lui. Aussi bien est-ce par là que l'Evangile le saisit : « Si tu veux être grand, si tu veux être parfait... » Mais le désir de l'homme est une construction très mystérieuse, très complexe, toute stratifiée en profondeur.

1. Découvrir son désir

En surface, le désir s'annonce dans ce que l'on peut appeler les « besoins ». Manger, boire, avoir un toit, des vêtements, du travail, avoir une auto, un frigidaire, etc. Le propre du « besoin » n'est pas d'être secondaire, voire superflu : il y a des besoins qui sont absolument vitaux, ce sont donc des éléments nécessaires et importants du désir de l'homme. Le propre du « besoin », c'est plutôt de pouvoir être rapidement comblé.

J'ai besoin d'eau, je vais en chercher, et mon besoin est comblé. Le besoin vise un objet tel qu'une action simple, à court terme, peut le produire et ainsi combler le besoin.

Après les « besoins », il y a la couche des « désirs ». Pour combler un « désir », il faut du temps, un long travail, une longue recherche, une étape de la vie : désir d'avoir sa part d'amour et de bonheur, désir de réussir son projet de vie, désir de guérir, de s'en sortir, d'évoluer plus harmonieusement, etc. Tous ces désirs s'échelonnent à des degrés d'importance divers, suivant la personne et selon l'étape de sa vie.

Enfin, tout au fond, mystérieux, illimité, donnant souffle, force et même violence aux désirs et aux besoins, *le désir*, au singulier. Le désir d'exister. Poussée formidable qui lance l'homme sur toutes les voies des besoins et des désirs, qui exige toutes sortes de choses et à n'importe quel prix, qui suscite la plus grande générosité ou la violence la plus cruelle. Poussée que rien ne peut jamais combler, puisque tout est partiel, provisoire, fragile. Le désir de l'homme peut n'être perçu qu'au niveau des couches supérieures, voire uniquement en surface : il va alors se perdre et s'enfoncer dans les besoins et les désirs, attendant, exigeant d'eux qu'ils le comblent. Ou alors s'angoisser et s'affoler, constatant qu'il n'y trouve pas, n'y trouvera jamais son compte.

2. RENCONTRER LE DÉSIR DE DIEU

A travers l'expérience de la vie, petit à petit, l'homme peut aussi apprendre à descendre au cœur de son être, à y reconnaître, par-delà les besoins et les désirs, *le* désir, à ne plus le confondre avec les besoins et les désirs qu'il anime. Il devient alors capable de tenir *le* désir, son désir, en réserve de l'être qui seul peut le combler, en réserve de Dieu. Il devient alors capable de rencontrer le désir de Dieu, de percevoir la mystérieuse correspondance entre ces deux désirs, d'en jouir — il devient capable de *prier*. Car il y a prière, quand se rencontrent le désir de Dieu et le désir de l'homme. Le désir de l'homme : désir infini d'exister dans l'amour. Le désir de Dieu : désir de communiquer infiniment l'existence dans l'amour.

Nous l'avons longuement développé en parlant de l'abscondité de Dieu : cette rencontre du désir de Dieu et du désir de l'homme n'est pas évidente. Dieu est absent, inagissant, inutile, pour les besoins et pour les désirs de l'homme, il n'intervient pas pour les satisfaire, il ne fait pas agir sa puissance pour les combler. Mais c'est là pédagogie de liberté : c'est le seul chemin qui conduise l'homme à la découverte de son désir illimité, de son désir de Dieu. Insaisissable à ses besoins et à ses désirs, Dieu se découvre comme attirant le désir de l'homme : révélation qui est reçue par la conversion à la foi, révélation qui est exercée et approfondie dans la prière.

Croire, c'est d'abord descendre en moi jusqu'au niveau du désir et là, au cœur de la liberté, et malgré l'abandon à moi-même pour ce qui est des besoins et des désirs, me reconnaître bénéficiaire de la tendresse de Celui qui me fait exister et lui faire confiance absolue. L'accueillir et le reconnaître : les fonctions 1 et 3 de la foi.

Prier, c'est donc redescendre en moi-même au niveau de mon désir, le ressaisir et le replacer sous cet horizon de foi, sous la lumière de la rencontre avec Dieu, pour qu'il s'y épanouisse, qu'il respire, qu'il se libère et qu'il éclate en action de grâces (fonctions 1 et 3 de la prière). Et aussi qu'il se prépare (2e fonction) à affronter à nouveau le champ complexe des besoins et des désirs où, pour l'instant, il doit concrètement se réaliser chaque jour.

3. Dépasser les besoins et les désirs

Voici un homme gravement malade. Il vit avec Dieu une relation de religion, non de foi. Sa maladie est une atteinte grave à son désir d'exister : son désir profond en vient donc à s'identifier à son désir de guérir. Il se voit guéri ou totalement perdu. Religieux, il va donc utiliser les moyens de la religion pour agir sur Dieu le Tout-Puissant, l'avertir de sa détresse et le convaincre d'intervenir. Il demande de pouvoir guérir, toute sa prière n'est que demande. Il met Dieu au pied du mur, il le somme de se rendre utile.

S'il guérit, il rendra grâces à Dieu. Mais sa maladie aura été inutile, il n'en aura rien appris, il n'aura pas profité de cette situation pour découvrir davantage son désir. Au contraire, il identifiera encore plus son désir profond d'exister avec telle ou telle valeur actuelle : être en bonne santé, pouvoir jouir de la vie. Il aura guéri quant à sa santé, mais quant à sa liberté, il sera devenu plus fragile encore, plus replié sur son avoir.

S'il ne guérit pas, s'il se voit aller de plus en plus mal, il va se désespérer, maudire Dieu ou n'en plus parler, et attendre dans la détresse croissante que soit définitivement écrasé son beau mais vain désir d'exister. Le religieux, centré sur la demande, est perdant dans tous les cas.

Voici ce même homme, mais croyant. Croyant, il sait que son désir d'exister est en sécurité auprès de Dieu. Mais la maladie est pour lui aussi une provocation terrible. Lui aussi se voit perdu, son désir de guérir menace, chez lui aussi, de tout recouvrir. Mais la prière est là pour le garder ou le tirer de ce danger. Dans la prière, il retrouve la certitude que l'homme est plus que l'événement qui l'assaille ; il retrouve son désir et le Dieu qui le comble. Dans la force de la prière, il va apprendre à vaincre sa peur, à dépasser la demande de guérir — qu'il formule peut-être d'abord avec autant de violence que le religieux ! Dans la force de la prière, par la vertu de cette rencontre courageusement, fidèlement pratiquée avec Dieu, malgré l'absence que la maladie rend plus accablante, l'homme va voir son désir d'exister s'épanouir : en ne s'identifiant plus à tel ou tel avoir, mais en s'investissant totalement dans la relation avec Dieu, dans son amour et sa puissance de vie.

S'il guérit, il en sortira surtout grandi dans sa liberté, plus proche de son désir profond, plus libre envers toutes les valeurs provisoires qui le réalisent, plus croyant, plus habité de l'amour de Dieu. Et c'est pour tout cela qu'il rendra grâces.

S'il ne guérit pas, s'il se voit aller de plus en plus mal, il ne s'acharnera pas à sommer Dieu de le guérir, il ne désespérera pas non plus. La prière de la foi, s'intensifiant, va se décanter de plus en plus de la demande pour se remplir de plus en plus du seul et merveilleux désir d'exister, et de la seule foi en Celui qui attire et accueille ce désir dans la Vie. L'action de grâces l'accompagnera jusqu'à ce qu'elle éclate dans la Résurrection.

4. LA PRIÈRE : UN ATELIER DU DÉSIR

Devant le désir de l'homme, il n'y a pas que la perspective extrême de la vie ou de la mort qui s'ouvre. Il y a les perspectives quotidiennes des tâches à accomplir, des engagements à assumer, des personnes à rencontrer, dans cet immense entrelacs de besoins et de désirs que chaque homme tisse autour de lui, animé au fond de lui-même du désir dont il perçoit plus ou moins bien la mesure exacte.

L'athée ne prie pas, il réfléchit et se concentre. Le religieux prie ; en fait, il demande, et il commerce, espérant ajouter à la panoplie des moyens naturels de réaliser ses besoins et désirs ce moyen magique de la prière pour capter à son profit la puissance divine.

Le croyant prie ; si sa prière comporte encore des demandes, exprimant ses besoins et ses désirs, c'est qu'on n'est pas parfaitement croyant d'un seul coup et pour toujours. On le devient et le redevient sans cesse. Mais la prière du croyant tend à ne connaître plus qu'une seule demande : celle de pouvoir adhérer totalement par tout son désir au désir de Dieu, celle de pouvoir équilibrer chaque jour ses besoins et ses désirs de telle manière que son action serve à exister vraiment et à faire exister les autres. Bref : à devenir le collaborateur du désir de Dieu.

C'est par ce biais de la libération du désir, et par ce biais uniquement, que la prière devient efficace, qu'elle change quelque chose dans la vie des gens. Et non par la demande, suffisamment appuyée de sacrifices et d'offrandes pour déclencher l'intervention merveilleuse de Dieu au profit des besoins et des désirs des hommes. Cette prière-là ne peut être que décevante !

La prière est donc un atelier du désir. La vie en est l'autre. Mais la vie est aussi dans la prière, soit en préparation (phase 2), soit en achèvement oblatif (phase 3). Atelier du désir : c'est là que l'homme livre son désir au feu de l'amour de Dieu pour que le martèlement de la vie forme longuement l'homme nouveau qu'il est appelé à devenir.

IV

LA PRIÈRE
DANS L'EXPÉRIENCE CHRÉTIENNE
DU NOUVEAU TESTAMENT

Il ne suffit pas de prier pour être dans le vrai : la prière la plus sainte qui soit en apparence peut véhiculer des motivations qui le sont beaucoup moins. On peut prier « comme les hypocrites » ou « comme les païens » ou « comme Jésus nous l'a enseigné ». Ce n'est donc pas seulement de l'extérieur que la prière est agressée : par le doute, par l'absence évidente de Dieu — et il faut donc prier « sans jamais se lasser ». La prière est aussi agressée de l'intérieur d'elle-même. Prier est une action ambiguë et le Nouveau Testament le sait qui défend la prière authentique à la fois contre le non-prier (l'athéisme) et contre le mal-prier (la religion).

1. LA PRIÈRE ET LES DEMANDES

Le Nouveau Testament est parfaitement conscient de cette première ambiguïté de la prière. Il suffit de citer saint Paul : « Nous ne savons pas que demander pour prier comme il faut » (Rm 8, 26).

Ambiguë la relation entre prière et demande ! Exiger qu'il n'y ait que de la prière, sans aucune demande concrète, n'est-ce pas désincarner la prière, la sortir de l'humain concret, donc la voir bientôt s'évaporer ? Mais si c'est la demande qui l'emporte, ne sommes-nous pas retombés dans la religion humaine où il s'agit seulement d'arracher au Puissant une réaction utile à la réalisation de nos désirs ?

La position du Nouveau Testament est merveilleuse à la fois d'équilibre et de clarté, d'analyses précises, exigeantes et d'espaces ouverts à la croissance concrète du priant plongé dans la détresse et le doute.

En un texte merveilleusement précis (Mt 6, 7-13), le Nouveau Testament nous donne comme un instrument de mesure, un véritable manomètre. Adapté à telle ou telle fonction mécanique, un manomètre indique toujours un point zéro en dessous duquel la fonction ne peut plus se réaliser, et une zone idéale dans laquelle la fonction joue parfaitement.

Ainsi en va-t-il de la prière. L'Evangile la situe clairement entre deux extrêmes : la valeur zéro où cesse toute prière authentique, c'est la « prière des païens » — et la valeur idéale où s'épanouit pleinement la prière authentique, c'est le Notre Père. Entre ces deux valeurs, l'aiguille du priant concret pourra osciller. Pourvu que la conversion, dans une recherche constante, l'entraîne toujours à monter et à remonter vers le Notre Père.

Valeur zéro : prier comme les païens

> Quand vous priez, ne faites pas comme les païens qui multiplient des formules magiques et s'imaginent que c'est à force de paroles qu'ils se feront exaucer. Ne leur ressemblez donc pas, car votre Père sait ce dont vous avez besoin, avant que vous le lui demandiez (Mt 6, 7-8).

On reconnaît sans peine, sous cette référence aux « païens », ce que nous avons appelé la religion de l'utile et sa prière. En réalité, il n'y a pas ici de prière, car celle-ci est rencontre et accueil du désir de Dieu. Il y a seulement demande, expression du besoin de l'homme, pour que la puissance divine en soit informée. Demande accompagnée de formules sacrales, de rites, de sacrifices, longuement répétés, dans le but de fléchir la Divinité, de la convaincre d'agir en faveur de l'homme.

Il ne suffit pas d'être baptisé pour n'être plus un « païen » de ce genre. Et parmi les païens, beaucoup sont croyants et l'Evangile en connaît d'ailleurs plusieurs et les cite en exemple. Même avec des « formules » en soi parfaitement chrétiennes, on peut prier

« comme les païens » : on le fait chaque fois et aussi longtemps que l'on comprend la prière comme un moyen d'agir sur Dieu pour lui faire connaître son besoin et le décider à le combler. Aussi longtemps que la demande l'emporte sur la prière authentique et l'étouffe. Aussi longtemps que le besoin de l'homme l'emporte sur le désir de Dieu.

Quand l'Evangile formule une critique en se servant de types comme les « païens » ou les « pharisiens », il est évidemment tentant d'y échapper en limitant sa portée à ces seuls personnages historiques. Je ne suis pas un païen, je ne suis pas un pharisien, donc cette critique ne peut pas me concerner. Elle ne concerne que ces affreuses gens qui s'opposaient au Seigneur en son temps. C'est une critique dépassée. Eh non ! on peut être « païen » et « pharisien » en plein christianisme du xxe siècle, avec baptême et confirmation dûment célébrés et enregistrés. Qu'est-ce donc qu'un « païen » ? Ce n'est pas l'appartenance à tel ou tel culte qui le définit, c'est sa relation personnelle avec Dieu. Il suffit de lire, un peu plus loin, Mt 6, 25-34.

Le « païen » est uniquement préoccupé de ses besoins ; il s'inquiète en disant : « Qu'allons-nous manger ? qu'allons-nous boire ? de quoi allons-nous nous vêtir ? » Là-dessus, Dieu est la puissance de dépannage. La prière devient le moyen de sortir la Divinité de sa distraction, de son indifférence, voire de son hostilité, pour l'amener à se rendre utile pour les besoins de l'homme.

Mt 6, 25-24 est le texte parallèle à Lc 12, 22-31 — les fameux oiseaux du ciel et lis des champs — que nous avons replacé plus haut dans sa juste signification. On ne reproche pas au « païen » de travailler pour satisfaire ses besoins ni d'avoir peur parfois de ne pas y arriver. Et on n'encourage pas les croyants à se transformer en hippies insouciants, sûrs qu'à leur demande le Père du ciel viendra immanquablement les nourrir et soigner.

On reproche au « païen » de se limiter à ce seul souci, de s'enfermer dans cette inquiétude, de ne pas saisir que l'homme a une vie, un « corps », une existence qui va plus loin que le manger et le boire, un désir qui va au-delà des besoins et désirs. « La vie n'est-elle pas plus que la nourriture, et le corps plus que le vêtement ? » (6, 25). Mais ce n'est pas par l'insouciance que l'on dépasse l'inquiétude. Certes, le Père céleste « sait ce dont nous avons besoin » (6, 8.32) et il y pourvoit par sa création, lui qui fidèlement et sans tenir compte de nos mérites ou démérites « fait lever son soleil sur les méchants et sur les bons et tomber la pluie sur les justes et les injustes » (5, 45).

Dieu connaît les besoins des hommes — inutile donc de lui en faire la liste pour l'en avertir (cf. 6, 8) — et il y pourvoit constamment par sa création qui est à la disposition du travail des hommes. Car le croyant n'imagine pas pouvoir désormais échapper à la peine quotidienne. Mais il ne pense plus que sa vie, son avenir, soit fonction de la seule satisfaction de ses besoins. L'aujourd'hui de l'homme s'est ouvert au lendemain de Dieu, la terre de l'homme s'est ouverte au Royaume de Dieu. « Ne vous inquiétez donc pas pour le lendemain, le lendemain s'inquiétera de lui-même. A chaque jour suffit sa peine » (6, 34).

Le croyant est donc, par la création de Dieu qui est à sa disposition, un homme non pas d'insouciance, mais de peine quotidienne. Non d'inquiétude, de stress, de rage de produire et de gagner toujours plus pour satisfaire et assurer toujours mieux ses besoins. Mais de simplicité, ce qu'il faut prudemment, désirant pour le reste s'investir plus loin, dans l'existence, dans cette existence illimitée qui est celle de Dieu, qui est le royaume proche.

Le « païen », c'est l'homme limité à la satisfaction, toujours inquiète parce que toujours menacée, de ses besoins. Dieu n'a de sens pour lui que s'il se rend utile pour ses besoins et la prière n'est que l'instrument pour y parvenir, pour faire réaliser sa demande.

Le croyant, c'est l'homme du désir. Dieu est celui qui laisse l'homme à lui-même, livré au combat de la vie, pour ce qui est de ses besoins et désirs. Mais il choisit cette absence, cette inutilité, pour attirer l'homme plus loin, pour qu'il creuse en lui-même jusqu'à son désir. La prière est alors la rencontre de deux désirs, celui de l'homme attiré par celui de Dieu.

Voilà pourquoi le croyant abandonne la prière des païens et se hâte d'apprendre auprès du Seigneur à prier le Notre Père.

Valeur maxi : le Notre Père

Que je guérisse ou ne guérisse pas — et cela dépendra de ma résistance et de l'art médical — qu'importe, pourvu que dans les deux cas le Règne de Dieu progresse en moi et par moi. Que je réussisse ou ne réussisse pas — et cela dépendra de mon savoir-faire et des événements — qu'importe, pourvu que dans tous les cas le Règne de Dieu progresse en moi et par moi.

Le Notre Père ne parle d'aucun besoin de l'homme : santé, amour, succès. Le croyant sait que Dieu pourvoit à ces besoins par la création, mais qu'il laisse pour le reste les événements à eux-mêmes et confie le monde à la libre action de l'homme. La prière des « païens » qui est essentiellement demande, liée aux besoins, n'a donc plus de raison d'être : le croyant accède à un espace nouveau, celui du Notre Père. Les demandes qu'y formule le désir de l'homme rejoignent pleinement le désir de Dieu : son Règne. La foi fonctionne à fond : à travers l'absence de Dieu reconnue, acceptée — Dieu ne se rend pas utile pour la satisfaction des besoins de l'homme — le croyant se laisse rejoindre, au cœur de sa liberté, par la mystérieuse présence du Père qui l'attire vers cette existence nouvelle : le Royaume. Réussite de la pédagogie divine : l'homme est amené à creuser en lui, à découvrir et à rejoindre son désir fondamental, pour le percevoir désormais en ce lieu mystérieux où il est reconnu et comblé par le mystère insaisissable mais offert qu'est Dieu. Plénitude aussi de liberté chez cet homme qui peut dire chaque jour : que je guérisse ou non, que je réussisse ou non, que je sois heureux ou non — mais je vais faire tout ce qu'il faut pour guérir, réussir, être heureux — *qu'importe, pourvu que,* d'une manière ou de l'autre, mon existence s'inscrive dans le Royaume !

Que ton Règne vienne ! Mais qu'est-ce donc que le Règne ? Le Règne ou Royaume, c'est très concrètement l'expérience de la foi, avec ses trois fonctions déjà décrites. Le Royaume, c'est quand Dieu « règne » dans l'existence de l'homme et par elle dans l'histoire des hommes. Et quand un homme accueille la vie qui vient de Dieu, puis la prolonge vers les autres en « agissant avec justice, en aimant avec tendresse et en marchant humblement avec son Dieu », quand enfin il offre toute cette vie en retour à Dieu dans la jubilation de la reconnaissance, dans l'adoration en esprit et vérité, alors vraiment Dieu règne, et par cet homme son Règne va prendre forme dans l'histoire des hommes, annonçant et préparant le monde nouveau où la justice de Dieu pleinement régnera.

Dans le Notre Père, il ne s'agit plus de tel ou tel besoin de l'homme, il s'agit du Royaume de Dieu, et uniquement de lui, parce que le croyant a découvert que tel est l'objet irremplaçable de son désir.

Il y a six demandes. Les trois premières ont trait au Royauume à long terme, achevé, universel, le monde nouveau : que ton Nom soit sanctifié, que ton Règne vienne, que ta Volonté soit faite. La « terre », c'est l'espace des hommes, laissé aux événements et aux projets des hommes, le théâtre actuel de l'histoire dans sa douloureuse ambiguïté. Le « ciel », c'est l'espace de vie de Dieu, là où Dieu rayonne déjà librement sa vie, son amour et sa justice sur les êtres qui l'entourent. « Sur la terre comme au ciel » : un jour, ces deux espaces n'en feront plus qu'un, c'est la Ville nouvelle de la fin de la Bible (Ap 21-22), l'univers nouveau, le Royaume achevé. « Voici la demeure de Dieu avec les hommes (...) ; de mort il n'y en aura plus ; de pleur, de cri, de peine, il n'y en aura plus, car l'ancien monde s'en est allé » (Ap 21, 3 s.). L'homme des besoins, que nous sommes et restons tous, s'est approfondi, a grandi pour devenir « l'homme de désir », le seul capable de « recevoir l'eau de la vie, gratuitement » (Ap 22, 17).

Mais cette espérance du Royaume universel ne s'ouvre qu'à celui qui dès maintenant y investit son existence. Aussi bien, les trois dernières demandes du Notre Père ont-elles trait au Royaume à court terme, aujourd'hui, hier et demain.

Il y a d'abord la demande du pain ! N'est-ce pas là un besoin bien concret ? N'avons-nous pas raison d'attendre de la Puissance divine qu'elle prenne soin de notre quotidien ? qu'elle se rende utile jour après jour ? ou au moins les jours où ça va mal, où l'on est dépassé ? Et nous voilà repartis avec les lis des champs et les oiseaux du ciel !

En fait, l'adjectif grec utilisé dans le texte original (Mt 6, 11 — cf. TOB, note b) est unique, la traduction en est donc difficile. Mais la plus sûre et la plus évidente par le contexte est celle-ci : donne-nous aujourd'hui le pain « de demain ». « Aujourd'hui », c'est l'étape actuelle de l'histoire, aussi longtemps qu'elle va se poursuivre. C'est l'aujourd'hui du monde actuel où le croyant se retrouve plongé chaque jour. « Demain », c'est le monde nouveau, dont ont parlé les trois premières demandes. Prolongeant la symbolique du premier récit de la création, toute une tradition groupait l'histoire actuelle en un septième jour — celui où Dieu se repose après l'avoir confiée au travail de l'homme — et l'on vit ce septième jour en attendant le huitième jour, jour nouveau, hors cadre, inauguré déjà par la Résurrection du Christ, jour qui fera éclater la fatalité des vieux rythmes de la première création. «La nuit (du septième jour) est avancée, le (huitième) jour est tout proche», dit Paul (Rm 13, 12).

Par conséquent : se nourrir aujourd'hui du pain de «demain», c'est laisser l'aujourd'hui de l'histoire, de la vie et des combats quotidiens se nourrir de l'espérance d'un jour nouveau. Il ne s'agit pas de nourriture matérielle — toute une tradition très ancienne a compris ici le pain eucharistique, et c'est bien dans ce repas eucharistique que se mange concrètement le «pain de demain» dont nous parlons — il s'agit de nourrir la liberté de l'homme, son engagement quotidien ; et les éléments dont il a besoin chaque jour pour subsister s'appellent sens, certitude, espérance et attirance. Voilà la nourriture qu'il lui faut et qu'on ne peut que recevoir de Dieu dans la prière, car c'est elle qui permet de reprendre contact constamment avec son désir — qui ne saurait être vain — d'établir son Règne. Donne-nous aujourd'hui le pain de «demain» : que chaque jour prenne son sens de marche avec Dieu en retrouvant son horizon absolu, son achèvement dans le Royaume.

Si elle parlait de pain matériel, la quatrième demande serait déplacée dans le Notre Père. Tandis qu'ainsi, elle fait la transition nécessaire entre le Royaume achevé et le chantier quotidien où se trouve celui qui prie, donc entre les deux séries de trois demandes que comporte le Notre Père.

Pour que la réalité quotidienne du croyant s'inscrive dans la perspective, mieux dans la marche déjà du Royaume, il faut d'abord que le présent soit nourri sans cesse de cette espérance : donne-nous aujourd'hui le pain de «demain». Il faut ensuite que notre passé personnel, qui enregistre toujours des détresses, des lâchetés, des refus, ne nous retienne pas comme des boulets en nous précipitant à nouveau dans la peur : pardonne-nous nos péchés. Et puisque c'est dans le prolongement concret vers les autres que l'on reconnaît les dons reçus de Dieu : pardonne-nous, libère-nous, attire-nous en avant, «comme» nous le faisons pour les autres autour de nous. Il faut enfin que le prochain pas dans l'avenir immédiat soit une étape vers le Royaume achevé : ne nous soumets pas à la tentation — la tentation, religieuse ou athée, de se faire soi-même et à n'importe quel prix et par n'importe quel moyen — mais délivre-nous du mal.

Prier pour devenir croyant

Dans cet espace de liberté, puisée dans la rencontre avec le Dieu qui libère le désir de l'homme, le croyant peut inscrire tout ce qu'il vit. En donnant le Notre Père, Jésus donne le cadre général de la prière parfaite : au croyant d'y peindre sa propre vie par touches quotidiennes.

Le Notre Père, pris dans sa formulation liturgique la plus achevée, reproduit parfaitement les trois phases de la prière décrite plus haut.

Temps 1 : Dieu me fait exister et moi j'accueille. Dans le Notre Père, c'est l'introduction. Nous nommons Dieu «Notre Père», c'est dans la force de l'Esprit que nous osons «crier : Abba, Père» (Rm 8, 15). En parlant ainsi, nous devenons davantage ses enfants, nous accueillons cette assurance fondamentale qui comble, non nos besoins, mais notre désir profond : «Voyez de quel grand amour le Père nous a fait don, que nous soyons appelés enfants de Dieu, et *nous le sommes!*» (1 Jn 3, 1).

Temps II : Je me prépare à exister avec Dieu. Certes, le Notre Père ne parle de ma vie qu'en termes généraux. A moi de préciser, d'actualiser chaque fois. Dans l'horizon infini du Royaume (les trois premières demandes), j'inscris l'étape de la vie que je suis en train d'affronter (les trois dernières demandes), avec son besoin de force (de «pain») pour le présent, avec son besoin de libération des peurs pour le passé et l'avenir immédiat.

Temps III : Je fais exister Dieu. Mon existence sort renouvelée de la prière faite selon le Notre Père. Elle n'a pas été rendue plus confortable, plus facile : le combat de la vie avec ses joies et ses détresses reste inchangé. Mais ces événements, quels qu'ils soient, et Dieu ne vient pas les transformer merveilleusement sur ma demande — demande que je ne fais même *plus du tout* — ces événements, je puis les aborder avec liberté, sens et courage : en collaborateur de Dieu. Et cette liberté renouvelée, recréée, peut exulter en retour, reconnaître Celui qui la comble, l'envoie et l'attire, Celui qui la crée pour qu'elle soit elle-même : «Oui, c'est à Toi qu'appartiennent le Règne, la Puissance et la Gloire pour les siècles des siècles, Amen.»

Perfection de la prière, le Notre Père situe la prière comme rencontre et fréquentation de Dieu pour exercer et approfondir l'expérience de la foi. Non pour demander la satisfaction d'un besoin, non pour arracher une intervention utile. Mais pour éclairer, élever et attirer la liberté de l'homme jusqu'à la faire coïncider avec celle de Dieu, désir contre désir, cœur contre cœur. Et voici que les demandes du croyant parlent de la même attente que Dieu : le Royaume.

Pourtant, juste avant de créer le Notre Père, Jésus n'avait-il pas précisé contre la prière des païens : « Votre Père sait ce dont vous avez besoin, avant que vous le lui demandiez » (Mt 6, 8) ? Cela doit être aussi valable pour le Notre Père ! Si donc le Père sait que nous avons besoin du Royaume, pourquoi le lui demander ? Pourquoi encore ces demandes dans le Notre Père ?

Au niveau des besoins — nourriture, santé, amour, succès — le Père sait ce qu'il nous faut. Et si ces choses nous manquent, ce n'est pas lui, dans sa méchanceté, qui nous en prive. Au contraire, sa création fidèle les assure fondamentalement à tous les hommes. La suite est laissée à l'action de l'homme. Inutile donc d'en parler, ni pour avertir Dieu — il est présent, il sait — ni pour l'apaiser — il n'est pas fâché — ni pour le convaincre de se rendre utile — il veut être inutile, absent, insaisissable, inutilisable pour les besoins de l'homme. Telle est la condition normale de l'homme que le croyant reconnaît et vit aussi dans sa prière.

Pour ce qui est du Royaume, du renouvellement de la liberté de l'homme, là aussi le Père sait déjà que nous en avons besoin. C'est nous qui ne le savons pas, ou pas assez, c'est pour nous que nous parlons, que nous formulons les demandes, c'est *sur nous* que la prière agit, pas sur Dieu.

Prier en pensant agir sur Dieu, c'est comme attendre que la pluie mouille le lac ! Quand j'ouvre mes volets, je ne fais pas lever le soleil : je l'accueille simplement dans ma chambre, je lui ouvre un nouvel espace à éclairer, à chauffer. Voilà pourquoi Paul acclame la Puissance de Dieu agissant en nous « infiniment au-delà de tout ce que nous pouvons demander ou même concevoir » (Ep 3, 20).

Quand nous disons « Notre Père », ce n'est pas pour avertir Dieu que nous ressentons un besoin de tendresse — il le sait déjà. Ni pour l'attendrir, pour éveiller en lui des sentiments paternels — il est Père. A ces mots « Notre Père », ce n'est pas lui qui devient Père, c'est nous qui nous découvrons enfin ou davantage ses enfants. Dire « Notre Père », c'est déjà être enfant, c'est déjà l'effet de sa paternité. La prière porte en elle-même son exaucement.

Quand nous disons : « que ton Règne vienne », ce n'est ni pour l'informer que le monde va mal et que son Règne est encore loin d'être là. Ni pour le convaincre de le faire venir : c'est son ferme projet et tout homme ne peut qu'arriver trop tard qui voudrait l'en décider. C'est pour nous que nous prononçons cette demande, afin qu'à l'occasion de ces mots l'Esprit renouvelle en nous l'espérance, l'assurance et l'engagement de nos vies dans cette perspective.

Enfin, objet de scandale et de quiproquo sans cesse renouvelés, pourquoi demander à Dieu de ne pas nous soumettre à la tentation ? Quel père sadique et dénaturé est-ce là qui tend des pièges à ses enfants déjà si fragiles !

Quand nous disons : « Ne nous soumets pas à la tentation… », ce n'est pas pour avertir Dieu que nous avons peur des pièges que cache l'avenir — il le sait. Ni pour le détourner à force de pleurs et de supplications, de son projet sadique — il n'en a aucun. Jacques, que personne n'a jamais soupçonné de sécularisation — on le trouverait, à tort d'ailleurs, plutôt trop juif encore ! — nous en avertit formellement : « Que nul, s'il est éprouvé, ne dise : c'est Dieu qui m'éprouve. Dieu en effet n'éprouve pas le mal, il n'éprouve non plus personne. Chacun est éprouvé par sa propre convoitise qui l'attire et le leurre » (Jc 1, 13-15).

Certes, en voulant que l'homme ait une histoire, un devenir personnel en liberté, Dieu veut l'épreuve. C'est inévitable, il y en aura. Mais il ne vient pas organiser tel événement, telle maladie, tel échec ou tel succès pour mettre l'homme à l'épreuve, pour le soumettre à la tentation.

Ainsi donc, les paroles de la dernière demande du Notre Père ne servent pas à détourner Dieu d'un malin plaisir qu'il aurait à nous mettre en péril. Encore une fois, et comme pour toutes les autres demandes, c'est pour nous que nous parlons : en prononçant cette demande, nous retrouvons par l'Esprit la certitude que Dieu ne doit pas figurer sur la liste de nos ennemis et de nos peurs, qu'il ne nous soumet précisément pas à la tentation, qu'au contraire il est là pour nous en délivrer, pour nous faire grandir en triomphant des tentations, des épreuves, qui surgissent par l'autonomie des événements, par l'action des hommes ou par notre propre convoitise.

Prier pour se transformer soi-même

Le Notre Père nous révèle ainsi clairement que la prière est efficace, mais sur l'homme et non pas sur Dieu. Voilà pourquoi la Bible est remplie de cette affirmation : la prière du croyant est sûre d'être exaucée. Et certes, la prière porte son exaucement en elle-même, mais il faut que ce soit la prière du Notre Père, non la demande du «païen». Celui qui dit «Notre Père» apprend par là même à devenir fils.

Que les volets s'ouvrent : le soleil, déjà levé, pourra entrer immédiatement et tout inonder. Ce qui fait que la prière est cependant une opération plus lente, plus délicate, c'est que l'homme n'est pas un espace comme une chambre, bien définie dans toutes ses dimensions. C'est l'existence qui va définir, modeler l'homme, petit à petit. Voilà pourquoi, là aussi à la différence de celle des païens, la prière du croyant ne peut pas exister par intermittence, comme acte ponctuel, ici et là. Elle ne peut qu'accompagner l'existence : la foi en est la respiration, la prière en est l'exercice respiratoire, l'attention et la jouissance respiratoires. C'est petit à petit, par un long métier, que l'espace-homme, que l'espace-femme pourra se constituer et ouvrir des fenêtres du côté du soleil.

Quant à l'efficacité de la prière, l'opposition religion-foi (ou «païen»-croyant) est très claire et se laisse mettre en schéma. Elle éclaire aussi un aspect d'une parabole, celle du fils prodigue.

En religion, l'homme, provoqué par un besoin qu'il ne peut combler lui-même, lance vers Dieu une demande «appuyée» de supplications, de rites efficaces et de sacrifices. Il espère ainsi agir sur Dieu pour le faire réagir et exaucer sa demande. Ayant constaté l'exaucement, il pensera alors et alors seulement à rendre grâces. Sinon, il maudira ou en aura fortement envie, seule la peur le retenant de le faire.

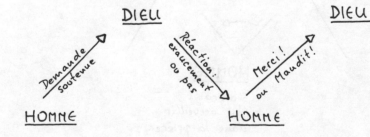

C'est sur ce schéma que fonctionne d'abord le fils prodigue. « Revenir vers mon père et espérer qu'il a gardé pour moi quelque affection paternelle, après ce que je lui ai fait, exclu ! Par contre, et à condition de bien m'humilier devant lui, je pourrai peut-être obtenir qu'il soit pour moi un patron et que je puisse gagner ma vie à nouveau. Au point où j'en suis, il vaut la peine d'essayer ! » Et pour bien appuyer sa demande, voilà l'homme qui prépare, pesant chaque mot et mordillant son crayon, un petit couplet de trois versets :

'   « Père, j'ai péché contre le ciel et contre toi. »
        (Je commence par le flatter.)
    « Je ne suis plus digne d'être appelé ton fils. »
        (Mouvement complémentaire, je m'humilie.)
    « Traite-moi comme un de tes ouvriers. »
        (Voilà le minimum qu'il ne pourra plus refuser.)

Quand le fils arrive vers le père (cf. Lc 15, 20 ss.), il découvre que le père était et restait père. Son petit couplet s'arrête avec des points de suspension à la fin du deuxième verset. Il ne faut pas transformer le père, lui arracher quelque chose. Tout est là : c'est le fils qui doit revenir, s'ouvrir, s'offrir à nouveau à l'amour du père qui agit véritablement au-delà de tout ce que le fils pouvait « demander ou même concevoir ». C'est sur celui qui prie et non sur Dieu que la prière est efficace, car les paroles de la prière ne sont que le support extérieur et l'expression de l'Esprit de Dieu qui attire et ouvre l'homme au désir de Dieu.

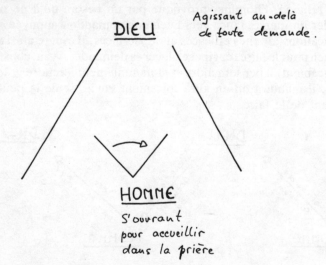

Cette parabole nous montre aussi le mélange concret qui peut se faire entre demande « païenne » et prière croyante, entre religion et foi. Et aussi le cheminement par conversions successives. On n'est pas toujours arrivé devant le Père, on commence à marcher très loin de lui. Mais pour marcher, il faut un point à quitter (c'est la prière des païens), et un but à rejoindre (c'est le Notre Père). De l'un à l'autre, le chemin peut être long, il peut faire des méandres et revenir en arrière. Mais celui qui « se lève pour aller vers son Père », quel que soit son chemin, y parviendra.

Prier d'abord comme on peut

Il ne suffit pas de réciter de temps en temps le Notre Père pour atteindre à ce degré de foi, de liberté et de prière. C'est là un idéal à rechercher sans cesse, et dans la réalité on se trouve quelque part entre les deux valeurs extrêmes inscrites sur notre manomètre. La Bible, heureusement, n'est pas puriste. Elle dit : « Ne priez pas comme les païens » et aussi : « Quand vous priez, dites : Notre Père… » mais elle ne dit pas : « Ne dites rien d'autre, et n'essayez pas de prier avant de vous être pleinement et définitivement identifiés au Notre Père. »

Non puriste, la Bible reconnaît les cheminements et les accepte dans la liberté : « En toute occasion, par la prière et la supplication accompagnées d'action de grâce, faites connaître vos demandes à Dieu » (Ph 4, 6). Mais il ne s'agit pas de renier l'enseignement de Jésus et de retomber dans la prière des « païens ». La différence est bien marquée : le croyant est invité à prier, à parler ouvertement de lui et de ses peines, donc à demander, mais le tout se fait déjà dans l'action de grâces.

L'action de grâce ne suivra pas, éventuellement, en troisième position, quand on aura constaté l'exaucement de la demande. Tout baigne déjà dans l'action de grâces : c'est dire que la prière l'emporte sur la demande concrète. On n'assigne pas à Dieu de se rendre utile, on ne le somme pas d'agir, on ne le met pas à l'épreuve. Non, on prie, on l'accueille dans son mystère vivifiant, on se « laisse faire exister » par lui, et donc on rend grâces en même temps qu'on prie. Cela fait toute la différence ! Quant aux demandes, on ne les étouffe pas, elles expriment la vie concrète dans laquelle la foi, l'existence reçue de Dieu dans la prière doit s'épanouir. On ne les étouffe pas, mais on n'attend pas non plus qu'elles soient exaucées. L'exaucement, l'efficacité, reste au niveau de la seule prière, et c'est la *paix* de Dieu : « La paix de Dieu qui surpasse toute intelligence gardera vos cœurs et vos pensées en Jésus Christ » (Ph 4, 7).

Quelle déception, pour le païen, le religieux : on demandait la guérison, tu nous donnes la paix dans la maladie — on demandait le succès, tu nous donnes la paix dans la simplicité — on demandait l'amour, tu nous donnes la paix dans la solitude — on demandait des choses pour soi et pour maintenant, tu nous donnes la paix dans le Christ ressuscité, vivant !

Déception, à moins de faire l'expérience de cette paix étonnante, cette paix que notre cœur blessé, nos pensées inquiètes ne sauraient produire ! Cette paix qui est « joie dans le Seigneur, en tout temps », qui est « dépassement de l'inquiétude », qui est « rayonnement de bienveillance vers tous les hommes » (cf. Ph 4, 4-5), en un mot qui est *liberté,* parce que « le Seigneur est proche ». Non présent, ni à notre service, ni à disposition pour arranger nos vies. Mais proche, pour toucher, apaiser et libérer notre désir, et pour que cette liberté renouvelée puisse se manifester dans la bienveillance envers tous les hommes.

On prie d'abord comme on peut, mais en sachant que la prière elle-même va nous entraîner plus loin. Il faut le savoir, il faut se le laisser dire, sinon l'on retombera dans la prière des païens — sinon l'on cessera de prier, ayant critiqué définitivement la prière religieuse et n'ayant jamais soupçonné qu'il y en eût une autre !

On prie d'abord comme on peut, mais en désirant apprendre à prier comme il faut. Et si la prière elle-même, entreprise et maintenue comme une aventure et une découverte, nous entraîne inévitablement plus loin, dans l'existence selon le Royaume, c'est que la prière est habitée par l'Esprit même de Dieu : « L'Esprit vient au secours de notre faiblesse, car nous ne savons pas que demander pour prier comme il faut » (Rm 8, 26).

2. LA PRIÈRE ET L'ESPRIT

Prier n'est donc pas une opération hasardeuse pour atteindre par des moyens subtils la Puissance divine qui aime bien se faire prier avant de rendre un service. Prier se passe en nous, prier c'est accueillir et fréquenter Dieu. Rien d'étonnant que l'Esprit de Dieu y soit pour quelque chose, qu'il devienne l'acteur principal de cette montée vers le Notre Père, vers la liberté du Royaume.

Prier pour demander l'Esprit (Lc 11, 1-13)

Tout le monde ne fait pas de la Bible son livre de chevet. Il y a pourtant quelques paroles dans le Nouveau Testament qui sont universellement connues, même des incroyants, et qui constituent malheureusement les seules références à la foi chrétienne que l'on ait souvent. Si l'on parle de l'action de Dieu, on citera « les lis des champs », puis les cheveux dont « pas un ne tombe sans la permission du Père » — ce texte, toujours cité en ces termes, n'existe pas ! — et enfin « la foi capable de soulever les montagnes ». S'il s'agit de la prière, on dispose du fameux « Demandez et vous recevrez », parole qui arrange autant le religieux dans ses espoirs, qu'elle amuse ou irrite l'athée dans sa critique. Un vrai folklore !

Certains, plus avancés, connaissent la parabole de l'homme qui vient importuner son ami pendant la nuit jusqu'à ce qu'il se lève et vienne lui donner le pain qu'il réclame. Ou celle de la veuve lésée qui obtient justice du juge inique en ne cessant de lui rompre la tête jusqu'à ce qu'il s'exécute. On les connaît, certes, ces paraboles, mais on les comprend en contradiction flagrante avec ce que Jésus dit de la prière des « païens ». Car enfin, d'après Jésus, c'est bien le propre des « païens » de penser qu'à force de paroles, à force d'insister, à force de neuvaines, ils se feront exaucer, ils pourront fléchir Dieu !

C'est en application de la parabole de l'ami importun — ou de l'ami qui se laisse fléchir — que nous trouvons en Lc 11, 9, la fameuse parole clé : « Demandez, on vous donnera ! » C'est simple, clair, et bien pratique : vous avez un besoin, vous demandez et Dieu vous donnera. Si ça ne vient pas, insistez, payez le prix, et ça viendra ! Si cela n'est pas la prière des païens que critique Jésus, mon Dieu, que cela lui ressemble !

La parabole de l'ami qui se laisse fléchir finalement parle, certes, d'insistance : on ennuie l'autre, on ne le lâche pas, on l'empêche de se rendormir, on menace de réveiller toute la maison, on est prêt à lui faire perdre la face devant tout le quartier, on agit « sans vergogne ». Et c'est ainsi que l'on obtient ce que l'on veut. Telle est l'histoire de base.

Mais l'application, la leçon qu'on en tire pour Dieu est tout autre ! L'ami humain, il faut drôlement insister pour le faire réagir et cette insistance sans vergogne est la seule manière de le faire bouger.

Tout autrement Dieu ! Demandez, et il vous donne, sans attendre ! Frappez, et il vous ouvre, sans traîner ! Cherchez, et vous trouvez, sans peine ! Le passage de l'ami à Dieu n'est pas direct : il passe par le seuil d'une différence totale.

La parabole ne fournit pas la méthode — la conclusion en serait : « Ainsi donc, vous aussi, insistez et vous obtiendrez ! » L'histoire sert à une prise de conscience : auprès d'un ami, il faut insister, mais on obtient — auprès de Dieu, qui est notre Père, *pas besoin* d'insister, demandez simplement, et Il vous donne !

Et cette conclusion du v. 9, — avec sa triple image : demander, chercher, frapper — est reprise au v. 10 : « En effet quiconque demande reçoit, qui cherche trouve, et à qui frappe on ouvre. » Après l'immédiateté du don, le texte souligne encore sa bonté : quand l'enfant demande un œuf, son père donnerait-il un scorpion qui le pique et le tue ? « Vous, les pères, vous savez donner de bonnes choses à vos enfants… ! » — Le lecteur salive, le religieux se réjouit, il va rencontrer ici un Dieu prêt à lui donner, par retour du courrier, les bonnes choses dont il a besoin. Que voilà une bonne religion ! — « … alors, combien plus le Père céleste donnera-t-il l'*Esprit Saint* à ceux qui le prient ! » — Désastre, désolation, désillusion : l'Esprit Saint ! Ça sert à quoi, je vous prie ? On attendait du pain, on demandait la guérison, l'amour, la fortune, le pouvoir, on nous donne l'Esprit Saint !

Eh oui, l'Esprit Saint, *la* « bonne chose » de Dieu ! Luc précise — brutalement au goût de certains — la pensée laissée dans la vague en Mt 7, 11. Dieu comble tous les hommes, indifféremment, bons et méchants, de tous les merveilleux dons de la création : la terre, l'eau, le soleil, etc. Ce monde leur est laissé et confié : c'est là leur liberté, leur peine quotidienne, leur combat et leur inquiétude. S'ils veulent aller plus loin, entrer dans l'alliance avec Dieu, vivre dans son Royaume, s'engager dans son existence de justice, alors ils peuvent demander, dans la prière, l'Esprit. C'est la seule « bonne chose » que Dieu donne, et c'est lui-même ! Ce don est excellent, ce n'est pas un scorpion qui tue, un serpent qui mord et tue également, c'est la vie et la connaissance et l'épanouissement du désir.

Ce don répond immédiatement à la demande : Dieu ne désirant rien d'autre que de donner son Esprit, il suffit que l'homme s'ouvre à ce don, précisément en le demandant, pour qu'il le reçoive, dans la mesure existentielle de son ouverture. Si l'on pouvait, dans la mémoire des gens, ajouter la mention de l'Esprit au fameux « demandez et vous recevrez » qu'ils connaissent si bien, ça ne serait plus du folklore !

L'Esprit prie en nous (Rm 8, 14-39)

La présence de l'Esprit dans la prière est encore plus profonde. Non seulement c'est *le* don à demander et donc à accueillir dans la prière. C'est même lui qui mystérieusement habite notre prière, la décante de nos folles demandes, la dresse à la rencontre du désir de Dieu pour la faire retomber dans la liberté de l'homme en sens, en certitude renouvelée : malgré l'absence de Dieu, rien ne pourra le séparer de l'Amour de Dieu. Telle est la merveilleuse synthèse que Paul nous propose en Rm 8, 14-39. Lecteur, prends ta Bible et lis d'abord ce texte, avant d'en faire l'analyse.

La situation de vie où se place Paul est claire : « Les souffrances du temps présent » (8, 18). La tension qui en résulte pour le croyant est évidente, elle aussi. Elle apparaît dans le balancement entre 8, 14-17 et 8, 31. Le croyant vit, d'une part, la certitude nouvelle, criée en lui par l'Esprit, qu'il est fils de Dieu, qu'il peut faire confiance à son Père pour le présent — « Nous sommes enfants de Dieu » — et pour l'avenir : « enfants et donc héritiers » (8, 14-17). Dans l'Antiquité, le fils et héritier d'un gros propriétaire n'avait pas beaucoup de soucis à se faire, à la différence de ses frères puînés ! Ainsi donc, la vie est belle, l'avenir s'offre sous un beau jour, on peut faire confiance à Dieu !

Mais voilà que tout se gâte. Fils et héritier, le croyant en reste de fait au même point que tout le monde : rien n'a changé dans la vie réelle, physique, depuis sa conversion ; les « souffrances du temps présent » ne l'épargnent pas. Souffrances concrètes, quotidiennes, comme celles que l'apôtre connaît bien dans sa propre vie apostolique et qu'il rappelle (8, 35-36). Des fils et héritiers ? Dites plutôt des « bêtes de boucherie », des gens livrés au « pouvoir du néant » (8, 20), gémissant dans l'esclavage de la corruption comme tout le monde.

Alors, soyons sérieux, comprenons donc que Dieu est « contre nous » (8, 31), que telle est l'évidence, qu'il faut abandonner la foi comme illusion inconsistante. Et revenir à la vieille certitude religieuse : Dieu est une puissance hostile, lointaine, et ce n'est qu'avec peine et occasionnellement que l'homme parvient à se la concilier !

Voilà le problème ! Le croyant va-t-il retomber dans la peur et

dans la mentalité d'esclave de cette puissance divine (8, 15)?
Esclave, parce que vivant une relation lamentable de dominé à
dominant, parce que comprenant sa religion comme un moyen de
faire aboutir ici ou là une de ses demandes, un jour de bonne
humeur du maître absolu ! Peur, parce que son désir de vivre est
menacé, écrasé, de la manière la plus absolue : Dieu lui-même est
contre !

Ou bien, confronté à cette situation d'absence, d'abandon de
Dieu, le croyant, tout en « gémissant » avec tout le monde et
comme tout le monde, va-t-il savoir dresser ce « gémissement » en
espérance, en dépassement, en certitude renouvelée et en victoire
de la liberté dans la foi : « Nous sommes vainqueurs et plus que
vainqueurs par Celui qui nous a aimés. Oui, j'en ai l'assurance,
rien ne pourra nous séparer de l'amour de Dieu ! » (8, 37-39)?
Telle est l'alternative ! Paul dit qu'elle sera tranchée par la prière
et, en elle, par l'Esprit. Et pour le dire, il fait un texte d'une
construction admirable, elle-même riche de signification.

L'Esprit gémit avec nous

Cette construction — appelons-la le « cône du gémissement » —
comporte une base, très large : c'est toute la « création », toute
l'humanité (8, 18-22). Livrée par Dieu au pouvoir du néant, de la
mort — la vie organique comporte la mort, et Dieu laisse aller la
vie selon ses lois — l'humanité *gémit*. En fait, ce gémissement
contient une espérance, une attente impatiente d'être libérée de la
corruption, d'accéder à la liberté et à la gloire que les enfants de
Dieu hériteront de lui, partageront avec lui. Mais voilà, seuls les
enfants de Dieu le savent. S'il y a espérance, elle n'est pas encore
perçue par les hommes qui gémissent. C'est une espérance
objective : de fait — mais seuls les croyants le perçoivent : « Nous
le savons » (8, 22) — ce gémissement de l'humanité est douleur
d'enfantement.

La femme qui enfante pour la première fois sent son ventre se
déchirer et croit bientôt qu'elle va y laisser la vie. Ce n'est qu'après
coup qu'elle comprend, qu'elle reçoit, qu'elle vit le sens de sa
douleur : l'enfant, la vie nouvelle que son gémissement recelait.

L'humanité entière est une femme : elle n'accouche pas d'un
autre, elle accouche d'elle-même en une vie autre et nouvelle.
Rien n'est moins évident que cette certitude de foi. L'humanité ne
le sait pas qui pense qu'au fond toute sa peine est vaine ! Et les

croyants ? Eux « savent », dit Paul ! Mais comme il est important — pour ne pas tomber dans un triomphalisme parfaitement illusoire ! — de bien préciser que Paul dit souvent dans de tels contextes : « nous savons », « nous estimons », « nous avons la certitude », « nous n'ignorons pas », etc. mais cela veut toujours dire : « nous luttons pour retrouver ce sens et cette certitude. » Il ne pense pas à un savoir acquis, capital mis à l'abri dans le coffre d'une belle âme détachée mais aussi protégée de tout. Il s'agit d'un sens, d'une certitude, d'une espérance à reconquérir sans cesse dans le combat, celui de la prière et celui de la persévérance.

En effet — et c'est le premier étage de notre cône —, les chrétiens qui « savent » pourtant, qui ont donc une espérance subjectivement perçue, eux aussi *gémissent*. Ils ont les prémices, les arrhes, mais la réalité est encore loin : la libération de leur existence (8, 23). La gloire de Dieu est en principe déjà en eux (8, 18), ils sont « glorifiés » (8, 30) — mais cette vie nouvelle n'est pas encore révélée, elle n'a pas encore transformé le « corps » : toute l'existence concrète du croyant. C'est pourquoi eux aussi gémissent. Et ce gémissement peut retomber sur lui-même et tourner en désespoir, peur et esclavage. Ou se dresser en espérance, en persévérance, en attente active (8, 25). Bref : le croyant peut redevenir « païen », religieux, et essayer à nouveau d'arracher quelques soulagements à cette Puissance divine hostile — ou il peut devenir plus croyant en profitant de cette situation d'Absence pour affirmer davantage la Présence de Dieu, pour « savoir » davantage que son existence n'est pas vaine et pour tirer de ce « savoir » constamment renouvelé une liberté nouvelle et un agir nouveau.

Exigeant certes, désignant clairement le but à atteindre, Paul n'est pourtant pas puriste. Il connaît le cheminement, la montée vers la foi, loin de la religion. Le croyant, dans sa « faiblesse » (8, 26), emporté d'abord par la détresse, dira un peu n'importe quoi dans sa prière. Il gémira, il imposera ses demandes, il suppliera Dieu d'intervenir, il le sommera de se rendre utile, il le traitera de « Dieu en papier doré », pour lui redonner un peu plus tard tous les titres d'amour et de respect censés l'amadouer. Oui vraiment, dans ces cas-là, « nous ne savons pas que demander pour prier comme il faut » (8, 26). Le Notre Père s'est fait bien loin, bien vide ! Il n'y a plus que le besoin de l'homme qui compte, et c'est là qu'on veut assigner Dieu !

Heureusement, dans cette prière si trouble, — mais elle existe, elle est là, on prie comme on peut mais on prie ! — Quelqu'un vient nous rejoindre qui va mettre de l'ordre, calmer la détresse en rassurant le désir, en l'assurant à nouveau dans le désir de Dieu. Sur l'axe du gémissement qui traverse l'humanité entière et les croyants eux-mêmes, l'Esprit lui-même vient prendre sa place, lui aussi *gémit,* des gémissements inexprimables car il ne parle pas, ni ne crie. Il n'est pas acteur de l'histoire, il habite les libertés qui prient, qui l'accueillent.

L'Esprit libère notre désir

Pourquoi l'Esprit vient-il habiter notre gémissement ? Pour décanter en nous prière et demande, prière du croyant et demande de l'homme en détresse. Pour empêcher que la demande prenne toute la place : le croyant redeviendrait alors un religieux dans la peur et l'esclavage. Pour libérer la prière, pour mettre le désir de l'homme en contact avec l'amour de Dieu, avec son plan, avec sa pédagogie, avec son abscondité. Pour retrouver le sens qui est l'oxygène de la liberté.

Car l'Esprit, lui, n'a pas de problème : son « désir » (8, 27) fonctionne « selon Dieu ». « Ce qui est en Dieu, personne ne le connaît, sinon l'Esprit de Dieu. Car l'Esprit sonde tout, même les profondeurs de Dieu » (1 Co 2, 10 s.). Par l'action de l'Esprit qui habite la prière de l'homme, voici que dans le cœur de l'homme ne règne plus la demande selon le besoin, mais bien le désir selon Dieu. Au lieu de retomber en peur et en méconnaissance de Dieu, le gémissement s'élève jusque vers Dieu et retombe sur l'homme et sur sa détresse en « savoir » : « Et alors nous savons qu'avec ceux qui l'aiment Dieu collabore en tout pour leur bien » (8, 28). Il faut détailler cette phrase si importante :

— « Et alors » : c'est le fruit de la prière habitée par l'Esprit. Comme en Ph 4, 7, le fruit attendu n'est pas l'exaucement de la demande ; c'était la paix, c'est ici le « savoir », et la victoire sur les gémissements.

— « Nous savons » : nous retrouvons, au cœur de la détresse en soi inchangée, sens et certitude.

— « Qu'avec ceux qui l'aiment » : grâce à l'Esprit, ils l'aiment, lui, Dieu, et non pas son utilité, le miracle qu'il pourrait faire. L'amour est une condition non pas pour que Dieu agisse, mais pour que l'homme perçoive que Dieu agit et dans quel sens. Le soleil ne brille pas parce que j'ouvre les yeux !

— « Dieu collabore » : il agit avec les hommes, de l'intérieur de leur liberté croyante, jamais à leur place.

— « En tout » : dans la joie ou la détresse, dans la maladie ou la guérison, dans le succès ou l'épreuve : les événements sont laissés à leurs propres forces, et se terminent toujours pour l'homme dans « la corruption ».

— « Pour leur bien » : pour un homme nouveau qui doit être enfanté, pour la pleine réalisation du désir de l'homme qui passe infiniment la satisfaction des besoins. Il s'agit d'être transformé « selon l'Image qui est son Fils, afin que celui-ci soit le premier-né d'une multitude de frères » (8, 29).

Les « souffrances du temps présent » mettent les croyants dans l'alternative fondamentale : sont-ils « fils et héritiers », sont-ils « bétail de boucherie » ? Fondamentale cette alternative, pas seulement pour le sens que l'on a de soi et de son existence, mais aussi pour la manière de traiter les autres !

La prière n'obtient pas, ne cherche même pas à obtenir — les demandes oui ! — que cessent les souffrances, mais que la foi triomphe et surmonte les souffrances. Dans un espace qui semble bouché, livré à la vanité, privé d'avenir valable, le croyant doit redevenir par la prière un homme qui « sait » l'espace de vie que Dieu lui ouvre. Il a déjà vécu tout un chemin d'alliance avec Dieu — il a été prédestiné, appelé, justifié, glorifié (8, 29 s.). Il connaît tout un passé d'alliance de Dieu avec les hommes — toute l'œuvre de vie accomplie en Jésus, lui aussi livré, non épargné, comme tous les hommes, mais par cette voie il a accédé à la Vie et à la Perfection (8, 32-34). S'il perçoit, s'il « sait », s'il goûte à nouveau tout cela dans la prière grâce à l'Esprit, alors l'avenir s'ouvre à nouveau à lui, le sens se révèle à nouveau qui transforme son gémissement en exultation : « *Rien*, ni la mort, ni la vie, ni aucun drame, ni aucune créature ne pourra nous séparer de l'amour de Dieu manifesté en Jésus Christ » (8, 38 s.). C'est à recouvrer et développer cette assurance que sert la prière, c'est pour cela que l'Esprit lui-même vient l'habiter.

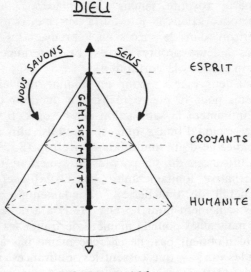

3. L'EFFICACITÉ DE LA PRIÈRE

« Tout ce que vous demanderez dans la prière avec foi, vous le recevrez » (Mt 21, 22). Ah ! la foi qui transporte les montagnes ! Elle aussi, une parole universellement connue, pour le fol espoir des uns, pour la morne déception des autres, pour l'indifférence, le ricanement ou la gêne de beaucoup. Il suffirait donc de demander avec foi, et on obtiendrait tout ce qu'on désire, même des choses spectaculaires comme dessécher un arbre qui ne donne pas les fruits que l'on attendait de lui, ou faire sauter une montagne dans la mer !

Et si les Eglises traditionnelles ne semblent pas miser suffisamment sur ces paroles, on trouvera d'autres organisations dont c'est pratiquement le seul argument. Dans le commerce, il ne faut pas beaucoup de réflexion, mais un bon slogan. Les gourous, les swâmis, les maîtres ne manquent pas. « Venez vous faire guérir, Dieu ne saurait se laisser battre en générosité ! Les sourds, sur un rang ! Les aveugles, alignez-vous sur les sourds ! Tout le monde a bien son reçu de caisse ? Nous pouvons commencer ! »

Si la guérison ne vient pas, l'explication est lumineuse — et personne ne pourra prouver le contraire : « Mon fils, vous manquez de foi ! » Curieux quand même, alors qu'il en faut si peu, un minuscule grain de moutarde, pour faire voltiger les montagnes ! Alors, pour réparer une oreille !

Pourtant, ces textes existent : ne sont-ils pas là pour éveiller dans le cœur du croyant une confiance absolue ? Confiance absolue certes, mais pas en un monde merveilleux où la réalité, grâce à la puissance divine, se plierait sans difficulté aux projets et désirs de l'homme ! Confiance absolue, oui, mais dans l'ordre établi par Dieu : monde laissé à ses propres forces, homme livré au combat de la vie mais appelé à reconnaître et à choisir le Dieu qui vient en traversant cet espace de l'absence de Dieu. Jean affirme clairement cette confiance absolue en la prière mais il la situe non moins clairement : « Voici l'assurance que nous avons devant Dieu : si nous lui demandons quelque chose selon sa volonté, il nous écoute. Et sachant qu'il nous écoute quoi que nous lui demandions, nous savons que nous possédons ce que nous lui avons demandé » (1 Jn 5, 14 s.). S'il s'agissait de guérison ou de succès, point ne serait besoin d'une longue réflexion pour savoir qu'on le possède. On le verrait. Mais s'il s'agit de sagesse (Jc 1, 5-8), de paix (Ph 4, 7), de « savoir » (Rm 8, 28), de l'Esprit (Lc 11, 13), bref, de la connaissance de la liberté dans la foi, alors là il faut « croire qu'on l'a reçu » (Mc 11, 24) dans la prière. Il suffit de se mettre en état d'accueil, et l'on reçoit. Mais ce sont là des dons dont la présence n'apparaît que peu à peu, au fil de l'existence. C'est le parcours de l'homme qui révélera le don déjà toujours accordé dans la prière.

Le Temple et le figuier

Restent pourtant ces paroles étonnantes à propos des montagnes que la foi fait basculer ! Il ne s'agit pas de les évacuer, de les oublier, ni de les neutraliser par d'autres paroles. A les analyser soigneusement, on découvrira que loin de situer la prière sur les plages douteuses du merveilleux ou du spectaculaire, elles la mettent, elles aussi, en lien avec l'engagement de la liberté croyante pour le Royaume, dans le combat au cœur du monde, d'une réalité qui résiste. Lisons d'abord Mc 11, 1-26. Cet ensemble commence par le récit de l'entrée triomphale à Jérusalem (1-11), se poursuit par l'affaire curieuse du figuier que Jésus trouve sans fruit et maudit, alors même que ce n'était pas la saison des figues (12-14). Puis le récit culmine avec le coup du Temple (15-19) pour reprendre l'affaire du figuier que la malédiction de Jésus a vraiment desséché (20-21). Et c'est en conclusion de cet ensemble ainsi articulé que l'on trouve les paroles étonnantes sur la foi et la prière. A Pierre qui s'étonne de voir le figuier desséché, Jésus dit : « Ayez foi en Dieu et vous ferez des œuvres encore plus spectaculaires que celle-ci, vous pourrez — tenez-vous bien ! — forcer une montagne à se jeter dans la mer ! Il suffira de le demander ! »

C'est à l'intérieur de cet ensemble, dans la mouvance de tout le récit que ces paroles — celle sur la foi (22-23), puis sur la prière (24), enfin sur le pardon (25) — doivent être comprises. Le centre du récit est la scène du Temple, et il est encadré par l'affaire du figuier : ces deux signes sont donc intimement liés et s'éclairent l'un l'autre. Marc a fait ici une composition unique.

L'affaire du Temple d'abord. Les autres évangélistes situent l'action de Jésus au Temple sur le plan moral : il le purifie d'affaires louches, sacrilège en cet endroit. Marc a une vision très différente : il situe l'action de Jésus sur le plan prophétique. Jésus n'est pas préoccupé de l'honneur du Temple, d'y faire régner une bonne morale, de le réserver à l'action liturgique. Il veut lui restituer son intégrale signification prophétique : il doit être « une maison de prière *pour toutes les nations* ». Il ne s'agit plus de moralité, mais d'annonce prophétique de l'universalité du salut. Le geste de Jésus est d'ailleurs bien précisé : il chasse les marchands hors du parvis des païens, l'espace extérieur du Temple, et même — détail propre à Marc — il ne permettait pas qu'on se serve de ce parvis comme d'un raccourci. Jésus entend donc réintégrer le parvis des païens au Temple, lui restituer le même caractère sacré et prophétique que les autres parvis intérieurs.

Au geste, Jésus ajoute l'enseignement — détail propre à Marc et qui souligne bien la qualité et la portée prophétique du geste. Marc le résume en une première citation qui est une référence à tout un passage d'Isaïe (56, 1-8) : Yahvé ne limitera pas son salut au seul Israël, il l'ouvrira largement à tous les peuples, « sa maison sera maison de prière pour tous les peuples ». Ce que ressent Jésus et qui le pousse à agir n'est donc pas une opposition morale entre « maison de prière » et « maison de commerce », mais une opposition prophétique entre « pour toutes les nations » et « pour Israël tout seul ».

La deuxième référence que fait Marc à Jérémie (7, 11) achève d'établir ce sens prophétique. Une « caverne de bandits », c'est un lieu fortifié, situé par exemple à mi-hauteur d'une falaise, donc inapprochable, inexpugnable, un lieu où l'on se sent en parfaite sécurité ! C'est le sens du texte de Jérémie : Israël pense pouvoir faire n'importe quoi, commettre n'importe quelle horreur, puis venir au Temple et dire : « Nous voilà en sûreté ! »

Telle est l'opposition prophétique que souligne Jésus. On a abandonné le parvis des païens à une signification purement profane, on en a fait un marché et un passage ! Et cela ne s'est pas fait par hasard ! Cela vient de ce qu'Israël s'est refermé sur lui-même, a monopolisé le salut et se prétend en sûreté dans son ghetto : Dieu nous est acquis, les autres, ces infidèles, ces impurs, sont promis au châtiment de Dieu. Qu'ils restent dehors !

Le Temple de Jérusalem est la manifestation publique, officielle de cette attitude des cœurs : amputé de sa dimension ouverte vers les païens, il proclame l'infidélité d'Israël à l'œuvre et aux promesses de Yahvé. Israël devait être le porteur vers toutes les nations des promesses du salut de Dieu. Israël n'a pas porté ce fruit attendu du Seigneur, Israël est un figuier décevant, un figuier que la malédiction de Jésus va dessécher.

Et nous voilà au figuier. Là encore une action prophétique de Jésus ! Le lien entre ces deux signes : le Temple ouvert à tous les peuples et l'arbre desséché, ce n'est pas Jésus qui l'invente. Il fait partie de l'oracle d'Isaïe 56. Le prophète y parle du doute quant au salut qui tourmente les étrangers, les non-Juifs : « Certainement Yahvé va m'exclure de son peuple » (56, 3). Et l'eunuque, ce qui est pour le Juif le comble de l'infidèle, de se dire : « Moi, je ne suis qu'un *arbre sec* ! » Dans son double geste prophétique, liant à nouveau Temple et Arbre, Jésus restaure le Temple à sa pleine signification universelle, et récuse Israël, le déclare, lui, arbre sec, incapable de porter les fruits du salut ouvert à tous les peuples que Yahvé lui avait confiés.

Une Eglise ouverte à tous les hommes

Le vieil Israël est récusé, désormais il n'est qu'un figuier sec : qui donc va se charger du Temple, maison de Dieu pour toutes les nations ? Si Israël ne l'est plus, qui sera le nouveau porteur vers tous les hommes du salut de Dieu ? Ce sera Pierre, les disciples de Jésus, l'Eglise. A la fin du premier tableau, Marc a placé un crochet : « Ses disciples écoutaient » (11, 14). Et le lendemain, début du troisième tableau, c'est Pierre, porte-parole habituel des disciples, qui « se rappelle » (11, 20) et pose la question. Et ce troisième tableau s'achève, par un élargissement soudain des perspectives et une brusque accélération du temps, sur l'image de l'Eglise, d'une communauté rassemblée dans la prière.

Les trois tableaux de Marc prennent donc forme. Dans un langage très symbolique qui permet de faire des raccourcis saisissants, Marc présente d'abord Jésus récusant Israël (11, 12-14), puis restaurant le Temple en sa pleine signification universelle (15-19), et confiant enfin à l'Eglise le mandat repris à Israël et instruisant l'Eglise sur la voie à prendre, les moyens à utiliser pour ne pas devenir elle aussi un figuier sec ! Ces moyens : la foi, la prière, la fraternité ouverte (22-25).

Il faut prolonger la question de Pierre : « Rabbi, regarde, le figuier que tu as maudit est sec. Et nous alors, tes disciples, ton Eglise, comment ferons-nous pour ne pas nous enfermer à notre tour sur nous-mêmes, en une institution sûre d'elle, bien close, un "repaire" inapprochable ? Comment ferons-nous pour rester ouverts à tous les hommes, pour rester porteurs des promesses d'un monde nouveau où Dieu rassemble tous les hommes ? Comment ne pas devenir à notre tour un ghetto, un figuier qui ne porterait plus les fruits désirés et que tu devrais maudire ? Comment ferons-nous ? »

Jésus donne trois moyens à l'Eglise : croire en la puissance de Dieu, prier, et vivre dans le monde en communautés fraternelles où circule réellement le pardon qui vient de Dieu.

Et ces montagnes que le croyant pourrait faire basculer dans la mer ? Dans la Bible, quand les montagnes se mettent à changer de place, cela veut dire que l'ancien monde est ébranlé et qu'un nouveau se prépare ! On n'est pas en train de donner dans le spectaculaire — Jésus s'y est toujours refusé — on prie en images, on prend du monde actuel ce qu'il a de plus massif, de plus inébranlable, et qui signifie bien son inamovibilité apparente : les montagnes, les collines, et on bouleverse tout cela pour dire que Dieu fait du nouveau : un nouvel exode (Is 40, 6), une parouse de Yahvé (Is 2, 10-12), un jugement sur l'ancien monde (Os 10, 8, cité en Lc 23, 30 lors de la passion, et en Ap 6, 16 et 16, 20).

A propos de foi et de prière, il ne s'agit donc pas de faire du spectaculaire, mais du nouveau. La question qui inquiète Pierre et avec lui tout disciple et toute l'Eglise : comment rester porteur d'un monde nouveau au cœur de l'ancien ? comment ne pas devenir une institution bien huilée mais close sur elle-même ? comment ne plus avoir un peu partout des temples, des lieux de culte et, à côté, en dehors, la vie qui reste fermée sur son commerce, son agitation et son non-sens ? comment devenir non pas une religion, un culte, localisés et insignifiants, mais plutôt une vie, une espérance, une poussée vers le monde nouveau au cœur de l'existence de tous les hommes ? Pour une institution humaine, c'est aussi impossible de porter de tels fruits que pour un figuier de porter des figues quand ce n'est pas la saison (Mc 11, 13) — détail propre à Marc et très significatif pour notre conclusion. Impossible aux hommes, cela devient pourtant possible et même sûr, s'ils accueillent la puissance de Dieu : « N'ayez pas peur, ayez foi en Dieu. » Mais cette puissance de Dieu, seule capable de toujours faire du nouveau — puisqu'elle dépasse même la mort ! — il faut donc la percevoir dans la foi, l'accueillir dans la prière, et la vivre déjà dans des communautés fraternelles et ouvertes : toute l'existence concrète des hommes y est déjà saisie par le pardon, par la vie nouvelle qui vient de Dieu.

Marc, après avoir restauré le signe du Temple en sa qualité de demeure de Dieu avec tous les hommes, passe aux supports concrets de ce signe dans l'histoire : c'est en suscitant des communautés ouvertes d'hommes et de femmes croyant, priant et se faisant fraternellement exister les uns les autres que l'Eglise sera, jusqu'à sa réalisation, porteuse fidèle du signe messianique du Temple. Si elle se refermait sur son institution, son clergé et ses églises, elle ne serait plus que figuier stérile, Temple amputé et dénaturé, repaire religieux où est tenue captive la grande promesse de Dieu.

Prier pour retrouver la certitude et accueillir la force de ne jamais considérer l'ancien comme acquis inamovible, de toujours rechercher le nouveau : comme on est loin du merveilleux facile auquel on pensait d'abord ! Nous sommes au contraire en plein dans la foi, comprise d'abord comme une confiance absolue en Dieu, puis comme un combat de l'homme pour faire éclore cette nouveauté en vie nouvelle réelle. Prier pour rester croyant, pour agir en croyant, pour créer dans la société des espaces fraternels qui annoncent et préparent « la demeure de Dieu avec les hommes ».

Prier pour durer (Lc 18, 1-8)

Durer dans la foi, dans l'active attente du Royaume. Et non durer comme un fossile ! Et pour ce faire, dit Jésus, « il faut toujours prier, sans jamais se lasser » (18, 1). Encore faut-il bien s'entendre sur ce « toujours prier » ! « Ma fille, il vous faut sans cesse prier. C'est la seule activité qui plaise à Dieu et lui rende tout l'honneur qui lui est dû. Tous les autres travaux nous éloignent de Dieu et nous centrent sur nous-mêmes et sur la poursuite de nos intérêts. Seule la prière nous fait adhérer pleinement à Dieu. Voilà pourquoi, il vous faut sans cesse prier ! » Bon ! mais dans la vie réelle, et quotidienne, il y a des tâches qu'il faut bien accomplir, on ne peut pas toujours prier ! « Ma fille, il suffit d'offrir ces tâches le matin, et le travail devient une prière ! »

Et c'est ainsi que partant d'un idéal extrême — il faut toujours prier — on aboutit au résultat contraire : on ne prie presque plus du tout. Idéal exagéré, relevant à la fois d'une inflation monastique et du vieux mépris antique pour le travail manuel ! Dualisme curieux, qui se retrouve si souvent, entre une théorie idéale et une pratique poussée précisément par cette exagération à en être exactement le contraire.

Le travail est une prière ! Accomplir son devoir est une prière ! Résultats : on a mauvaise conscience, car l'idéal de la prière permanente demeure quand même — on ne valorise pas le travail comme il convient, puisqu'il n'est perçu que comme un ersatz obligé de la prière, elle seule ayant sens et valeur devant Dieu — et on ne prie plus, ou si peu, juste le temps, le matin, d'offrir sa journée, de placer cette espèce d'élastique qui unira les occupations de la journée au minuscule espace de prière matinale, conférant ainsi au tout la dignité et la valeur de la prière.

La meilleure manière de ne plus prier, c'est de déclarer prière ce qui ne l'est pas. Le travail est une chose, et il a sa valeur comme tel. Y compris devant Dieu. Il y a d'abord la peine de travailler pour accéder à la joie de produire, de créer, de vivre et de faire vivre. Ce sont des valeurs en soi. Si j'ajoute à cela la foi, c'est-à-dire le sens d la collaboration à l'œuvre créatrice de Dieu et de la lutte pour la venue de son Royaume, ce sont là aussi des valeurs authentiques, en soi.

Prier, c'est autre chose, c'est un autre exercice. Et qui doit exister comme tel, pour produire ses fruits de reconstitution de l'homme dans son sens, sa foi, sa liberté. C'est se faire complice d'une idéologie de domination que de consoler ceux que le travail accable en leur disant qu'il est une prière ! C'est les priver d'un droit, et d'une nécessité : prendre du temps pour respirer, pour se retrouver eux-mêmes, et là rencontrer Celui qui les recrée et retrouver à cette profondeur goût, sens, désir et Amour.

Autre chose, donc, prier sans jamais cesser — résultat paradoxal : on ne commence même plus ! — autre chose, prier sans jamais se lasser ! Revenir constamment, régulièrement à cet exercice, sans jamais l'abandonner comme un truc vain et débile, en le cultivant au contraire, sachant son importance vitale. Pour l'affirmer, Jésus se sert d'une parabole : à force de rompre la tête au juge inique, la veuve réussit à obtenir justice. Et voilà une nouvelle source d'interprétation aberrante : la prière des « païens ». Prier sans jamais se lasser, c'est-à-dire : insister, faire neuvaine sur neuvaine, jusqu'à ce que la force de la prière triomphe de l'inertie de Dieu et lui arrache la grâce espérée. La prière, une arme au service du désir de l'homme, à condition de s'en servir assez longtemps, la goutte d'eau qui finit par user la roche la plus dure ! Et qu'y a-t-il de plus dur que Dieu, pour le religieux ?

En fait, comme en Lc 11, la parabole conduit à une conclusion par opposition : si à force d'insister on réussit à faire bouger un juge inique, à combien plus forte raison ne doit-on pas croire en la prière qui en appelle au Juge du monde ! Les croyants, plongés dans l'injustice effroyable de l'histoire, crient vers Dieu et en appellent à son jugement. Eh bien ! cette prière n'est pas vaine, il ne faut pas l'abandonner, car « Dieu fera prompte justice » (18,8).

Fera ! Car, pour l'instant, il « temporise » (18,7). Pour l'instant, c'est l'histoire, et Dieu n'intervient pas entre l'ivraie et le bon grain. Au risque de passer pour un juge inique et de déclencher le réflexe religieux : en payant le prix, on pourrait peut-être quand même obtenir quelque chose ! Ou la réaction athée contre la religion : je refuse un Dieu qui permet Auschwitz !

Dieu « temporise », laisse l'histoire aller son chemin. La venue du Fils de l'homme selon la prophétie de Daniel 7, 13-14, doit apporter le jugement, mettre fin au règne de l'injustice et inaugurer le monde nouveau : mais elle est pour plus tard, et elle doit être attendue actuellement. Face au triomphe évident de la puissance et de l'injustice dans le monde, comment saura-t-on qu'en fait l'histoire va vers un autre avenir, vers un monde où règne la Justice ? Et comment pourra-t-on maintenir sa vie, ses projets, son action sous ce cap ? En « priant sans jamais se lasser » ! C'est dans la prière, exercice conscient et appliquéde la foi, que l'on apprend tout cela, que l'on reçoit cette certitude et que l'on y puise une liberté et une action sans cesse renouvelées. Liberté et action pour durer dans la foi, jusqu'à ce qu'Il vienne !

La prière, un combat, oui ! Mais pas contre Dieu, pas contre sa dureté et son indifférence, ni contre sa jouissance sadique ! Un combat contre le monde et contre moi-même. Contre le monde qui se préten seule force de l'histoire ! Contre moi qui facilement me laisse séduire ou décourager par la démonstration constante du monde et qui cesserais alors d'attendre activement la venue de Dieu et de crier vers Lui. Si vient à s'éteindre le cri vers Dieu, si le « gémissement » retombe en peur, alors, très vite, face à l'injustice, l'homme sombrera dans la lâcheté ou passera à la complicité.

Prier donc pour résister à l'absence de ce Dieu qui temporise, pour se laisser attirer par sa Présence mystérieuse jusqu'au jour de sa venue, et pour être jusque-là le serviteur vigilant et fidèle ! Prier pour se livrer sans cesse à cette question : « Le Fils de l'homme, quand il viendra, trouvera-t-il la foi sur la terre ? » (18,8).

4. La prière de Jésus

Impossible de parler de la prière de Jésus ! Impénétrable le dialogue intime de Jésus avec son Père ! Par contre, avec l'aide de Luc, il nous est possible de situer, de localiser la prière de Jésus dans sa vie et d'en percevoir les fonctions. Luc parle de la prière de Jésus en lien avec sa montée vers Jérusalem : elle apparaît au début de la montée, quand la décision en est prise (9, 18), elle revient à son terme, quand son aboutissement s'impose, la mort (22, 40 ss).

Prier pour trouver son identité

Jésus avait d'abord travaillé dans le style d'une grande mission populaire, en Galilée. Mais au bout d'un certain temps, il doit prendre conscience d'un problème. Du côté du peuple, sa mission est certes une réussite, mais pas tellement celle qu'il recherchait. Les miracles, la perspective d'une libération politique attirent davantage les foules que la conversion et la recherche du Royaume. Du côté des dirigeants politiques et religieux, on commence sérieusement à s'inquiéter du personnage : Hérode complote, et Jérusalem envoie des espions.

C'est là que Jésus, brutalement, change de style, prend une autre option : il ne va pas se diluer plus longtemps, il va monter à Jérusalem, provoquer Israël au sommet, faire un coup de force et inaugurer le Royaume à Jérusalem. Luc nous montre Jésus portant cette décision dans la prière. Avec une grande discrétion. «Un jour qu'il priait, les disciples étant avec lui, il leur posa cette question : Qui suis-je?» (9, 18).

Si Jésus sort de la prière avec cette question fondamentale, celle-ci est significative pour la prière, pour sa fonction, alors même que l'on ne nous en dit rien d'explicite.

Visiblement, c'est dans la prière que Jésus a d'abord recherché la réponse à la question : «Qui suis-je?» Ayant trouvé là son identité, il la communique à ses disciples pour les entraîner à sa suite : «pour les foules qui suis-je? pour vous, qui suis-je? Eh bien! voilà qui je suis : le Fils de l'homme qui va monter à Jérusalem, il y sera rejeté et mis à mort, mais il ressuscitera et inaugurera ainsi le Royaume.»

La fonction de la prière de Jésus apparaît donc clairement : il s'y prépare à exister avec Dieu. D'une part, il y rejoint Dieu, qui est son Père, qui le fait exister, qui parle par la Bible. D'autre part, la vie, ses premières expériences pastorales, lui ont appris un certain nombre de choses. Jésus intègre tout cela dans une réflexion priée, il y écoute la parole de son Père proposant par les prophètes les types de «Fils de l'homme» et de «Serviteur souffrant», il l'applique aux événements qui conditionnent de plus en plus son action, et il en tire un projet, une identité. Il sait à nouveau qui il est, ce qu'il fait, pour quoi il le fait. Il est même capable immédiatement d'attirer les autres dans cette même entreprise.

Et voici que, «en avant de lui» (10, 1), sur la route qui le conduit à Jérusalem, Jésus peut en envoyer soixante-douze. Le Royaume qu'il va proclamer à Jérusalem commence déjà à prendre forme : le sens de l'histoire, ce n'est pas, quoi qu'il semble, la domination des puissants et des grands — Hérode et les chefs de Jérusalem en sont les exemples tout proches. Le sens de l'histoire, c'est Dieu, et on s'en approche quand les petits le découvrent et se mettent à le vivre et à l'annoncer.

Quand Jésus voit ses soixante-douze «petits» entrer ainsi dans son œuvre, dans son identité, il découvre que ce que le Père lui révèle à lui, Jésus, il le fait aussi à d'autres autour de lui. Et de voir cela le fait éclater de joie : « Je te bénis, Père, Seigneur du ciel et de la terre, d'avoir caché cela aux sages et aux habiles, et de l'avoir révélé aux tout-petits » (10, 21). Troisième fonction de la prière, et son achèvement : Jésus fait exister Dieu, il le fait en reconnaissant en Lui l'origine et le fondement de sa propre existence. Ce que Jésus est — et il l'est vraiment, librement, à travers expériences, doutes, recherches, projets et combats — il l'est par Dieu et avec Dieu. Au terme de cette décision importante de la vie de Jésus, dans l'action de grâces que Jésus lui rend, Dieu est dans l'histoire plus Dieu qu'avant.

Prier pour accéder à la vie

La montée à Jérusalem va s'achever dans la mort. Au mont des Oliviers, Jésus prie et avec les quelques indications discrètes qu'en donne Luc, il est possible de retrouver ici aussi les fonctions essentielles de cette prière.

A ce point dramatique de la montée à Jérusalem, Jésus est confronté à la peur, à la menace immédiate de mort. Son désir naturel de vivre se révolte : dans sa prière surgit maintenant la demande. « Père, éloigne de moi cette coupe » (22, 42), ce qui veut dire : « Père, interviens, sors de ton absence, ne me laisse pas livré aux forces qui vont se déchaîner contre moi. »

Jésus prie ici à nouveau pour se préparer à exister avec Dieu ; la violence du drame qui se prépare, sa faiblesse humaine font surgir, chez lui comme chez tout homme, la demande d'intervention. C'est la tentation qui se présente : « Priez pour ne pas tomber au pouvoir de la tentation » (22, 40.46) — l'avertissement aux disciples provient de sa propre expérience. Tentation de ne pas marcher humblement jusqu'au bout avec Dieu, de le sommer d'intervenir, de mettre Dieu au service du désir de l'homme — tentation religieuse par excellence. Y succomber serait renier la foi et abandonner le Dieu véritable.

La faiblesse de Jésus fait surgir, comme chez tout homme, la demande d'intervention. Mais sa prière la lui fait dépasser : Jésus triomphe de la tentation, conduit son désir d'homme à rejoindre le désir de Dieu — c'est la démarche du Notre Père dans toute sa perfection : « Que ta volonté se fasse ! » Et sa volonté, sur Jésus comme sur tout homme, est de ne pas intervenir, de laisser aller les événements et les complots, si cruels soient-ils, même quand ils menacent son propre Fils, de rester absent pour être celui que le désir de l'homme choisit en s'abandonnant à lui, mais jamais ne possède.

Les vv. 43-44 contiennent une tension à peine soutenable. Jésus y est à la fois « réconforté par un ange venu du ciel » — dans le langage biblique, l'ange, c'est Dieu ! — et « en proie à la détresse », si profonde qu'elle provoque une sueur de sang. Et ce déchirement est le contenu propre d'une prière qui se fait de plus en plus « instante ». Abscondité de Dieu : un homme saigne de peur devant le supplice qui approche et sa prière n'obtient que réconfort ! A ce point, la prière de Jésus est suffisamment décrite : en paroles, en analyses, on n'a ni le droit ni la possibilité d'aller plus loin. La contemplation amoureuse peut s'y glisser, pour rejoindre et imiter « celui qui m'a aimé et s'est livré pour moi » (Ga 2, 20). Mais retenons-en le mouvement général, puisque l'Evangile nous l'indique pour notre instruction. Pour Jésus, prier, c'est accueillir le réconfort qui vient de Dieu, c'est laisser Dieu le faire exister, c'est se ressaisir de cette certitude. Dans la force de ce « réconfort », il peut se préparer à exister avec Dieu jusqu'au bout, laisser monter la demande folle du désir, mais la dépasser par la prière, accepter de vivre l'abscondité, la non-intervention, sans cesser d'affirmer le Dieu-Père. Ces deux premières fonctions de la prière en appellent à la troisième où elle s'achève. Luc la situe au cœur de la passion, dans le dernier cri de Jésus : « Père, je remets mon souffle entre tes mains » (23, 46).

Il n'y a pas au monde une parole d'homme où Dieu est Dieu autant que dans celle-là !

Jésus l'appelle « Père » et il parle de ses « mains » : il affirme donc Dieu comme une puissance qui engendre l'homme à la vie. Mais cet homme, lui, n'est plus qu'un « souffle » défaillant, plus rien qu'un désir — un désir totalement abandonné à lui-même et aux événements qui le broyent — mais un désir s'abandonnant à Dieu. Marchant humblement jusqu'au bout avec Lui.

L'homme Jésus est devenu cette parole unique, définitive, qui fait exister Dieu. Il la proclame, il la « crie » — car c'est révélation, à la face du monde, et ouverture d'une ère nouvelle ! — et de l'autre côté de la mort lui répond la parole du Père qui le ressuscite : « Tu es mon fils, moi-même aujourd'hui je t'ai engendré » (Ac 13, 33 ; He 1, 5 ; 5, 5).

L'exaucement ne se trouve pas dans l'intervention de Dieu au cœur des événements pour les modifier selon le désir de l'homme. L'exaucement, c'est la capacité retrouvée de l'homme de se laisser attirer toujours plus loin, sans que rien ne change. Et au terme, c'est la résurrection. Prier pour accéder à la vie, pour savoir prendre le chemin qui conduit à la vie. Jamais pour obtenir confort, réussite et protection.

Partout où un homme ou une femme accède à une parole d'abandon et de foi semblable à celle de Jésus, c'est aussi le désir de Dieu de trouver de vrais adorateurs en esprit et en vérité qui se réalise. L'ancienne adoration religieuse du Temple et des sacrifices rituels est dépassée, le voile en est déchiré (Lc 23, 45), Dieu est reconnu dans le vrai Temple : celui, vivant, des hommes et des femmes accédant à la foi. « Père, entre tes mains je remets ma vie ! »

V

LA PRIÈRE D'INTERCESSION

Pour la religion, la prière est essentiellement une demande
« appuyée ». La demande exprime ce dont j'ai besoin et que seule
la puissance divine peut me procurer, car mes moyens sont
dépassés. Mais cette demande doit être « appuyée » de supplications, de sacrifices, de dons, de promesses, de fatigues, pour
mériter que la puissance divine prenne note de mon désir, sorte de
son indifférence, se laisse émouvoir et passe à l'intervention
souhaitée. Dès lors, que cette intervention soit souhaitée pour moi
qui prie ou pour un autre pour qui je prie, cela ne fait pas de
différence. Il suffit de changer l'adresse : sur le paquet de mérites
que j'envoie vers le ciel pour payer l'intervention souhaitée,
j'efface mon nom et je mets celui de quelqu'un d'autre, vivant ou
mort. Et le tour est joué !

L'intercession pour les vivants

A la différence de la religion qui fait fonctionner la prière pour
que Dieu agisse, le croyant, lui, se met en prière parce que Dieu
agit et pour que lui-même retrouve le sens de cette action — une
Présence qui vivifie et attire sa liberté au cœur de l'Absence — et
pour que lui-même accueille la vie de Dieu, se mette à agir avec lui
et accède ainsi à l'action de grâces.

Si telle est la prière de la foi, il n'y a aucune raison de penser
qu'elle puisse retomber en religion, quand la prière devient
intercession. La prière d'intercession du croyant fonctionnera
donc *parce que* Dieu agit — mais selon son désir, non selon le

nôtre — et *pour que nous* (moi qui prie et ceux pour qui je prie, liés que nous sommes par différents liens de solidarité) *accueillions, agissions,* et *vivions.*

Pour la prière, nous avons consulté longuement l'expérience du Nouveau Testament : qu'en est-il maintenant de l'intercession ? «Je recommande que l'on fasse des demandes, des prières, des supplications, des actions de grâces (comme en Ph 4, 6, l'action de grâces ne suit pas éventuellement !) pour tous les hommes, pour les rois et tous les dépositaires de l'autorité, afin que nous puissions mener une vie calme et paisible en toute piété et dignité » (1 Tm 2,1 s). C'est une invitation claire à l'intercession. Et le moteur de cette prière est bien précisé : «Cette prière est juste, bonne et plaît à Dieu, *car* Dieu veut que tous les hommes soient sauvés et parviennent à la connaissance de la vérité» (2, 3-4).

On n'intercède donc pas pour signaler à Dieu des cas malheureux qu'il aurait négligés, oubliés ou repoussés — ni pour le convaincre ensuite de changer d'attitude ! On n'intercède pas pour qu'Il veuille le salut pour ces hommes, on intercède au contraire *parce que Dieu veut* le salut de tous les hommes, et *pour* l'accueillir. Et ensuite, pour devenir au milieu des hommes, par notre manière d'agir, des foyers rayonnants de justice et de paix.

Les lettres de Paul comportent toutes une intercession, suivant généralement les salutations. Une lecture attentive permet déjà de voir comment fonctionne l'intercession chez Paul. Ce ne sont pas des «intentions de prière», lancées un peu tous azimuts, jusqu'à ce qu'on soit parvenu à la série suffisante pour combler le trou entre l'homélie et l'offertoire ! L'intercession jaillit de son existence apostolique, des liens qui se sont tissés avec des communautés, et du souci pastoral et fraternel qu'il continue de porter quant à leur foi et à leur progrès.

Ensuite, il ne s'agit jamais de biens matériels, d'interventions de Dieu qui viendraient transformer merveilleusement une situation douloureuse. Quand il fait «mémoire» de ses communautés lointaines, il parle de croissance dans la foi, la connaissance et le discernement pour que leur existence reste orientée et attirée vers le Seigneur et son Royaume. Enfin, il prie toujours dans la certitude que «Celui qui a commencé en vous cette œuvre excellente en poursuivra l'accomplissement» (Ph 1, 6). Il intercède non pas pour que Dieu soit fidèle, mais parce qu'Il «est fidèle, le Dieu par qui vous avez été appelés à la communion de son Fils, Jésus Christ, notre Seigneur» (1 Co 1, 9).

Ainsi donc, sur ce point de l'intercession, la prière, spontanément religieuse, doit se convertir à un nouveau sens de Dieu, à un nouvel espace de relations, mais aussi à une nouvelle perception de notre engagement. En effet, la critique prophétique de la religion s'applique aussi à l'intercession : qu'il est facile et superficiel de promettre des prières à quelqu'un qui souffre et de se décharger sur Dieu de ce qu'il faudrait faire soi-même ! L'expression : « Je prierai pour vous » est si souvent synonyme de : « Adieu et débrouillez-vous ! »

2. Intercéder pour vivifier la solidarité

La prière d'intercession surgit, comme la demande, dans la deuxième fonction de la prière, celle où l'on se prépare à exister avec Dieu. Il s'agit de faire passer alors dans la vie concrète la justice et l'amour que l'on reçoit de Dieu. Et cette vie concrète, moi qui prie, je ne la vis pas seul. Je la vis avec d'autres, ils font partie de ma vie, des liens nous lient qui sont presque aussi forts que ceux qui lient mes organes entre eux. Leur bonheur est mon bonheur, leur détresse est ma détresse.

Cette vie, je la vis aussi avec d'autres que je vais rencontrer, et je pourrais passer sans les voir ou bien tisser des liens et accepter de prolonger vers eux, de recevoir d'eux, la vie que nous recevons de Dieu.

Tous ces êtres surgissent inévitablement dans ma prière, puisque c'est là que se prépare l'existence en solidarité active, réelle, qui est essentielle à la foi : « agir dans la justice, aimer avec tendresse ». La peine partagée de ces êtres sera l'occasion aussi de formuler des demandes. La pensée de la détresse de certains êtres chers, ou tout simplement de certains groupes d'hommes même inconnus, réveille en moi la peur : l'absence de Dieu, l'abandon de l'homme à lui-même et aux forces brutales de l'histoire, tout cela m'atteint, me blesse et me tente non seulement par le chemin e ma propre vie, mais par tout ce qui est humain, et surtout par l'humain qui m'est proche et cher.

Tout cela qui fait ma vie, mes engagements, mes fidélités, mes solidarités, surgit dans la deuxième phase de la prière et doit être — par elle — vivifié, pacifié. C'est dans la prière que je vais retrouver la certitude que personne de ceux pour qui je prie n'est en oubli devant Dieu. Le sens de l'épreuve qu'ils sont en train de vivre. Le goût de la solidarité active et fidèle pour les aider à triompher de l'épreuve. Le courage de dépasser mes demandes, d'accepter l'Absence mais d'engager ma présence.

Prier pour les autres pour durer dans la solidarité. Sans cette prière, on risque au contraire de se dire bientôt : « C'est un type foutu, c'est une situation désespérée, et voilà à quoi la vie finit toujours par conduire! Alors, occupons-nous de nous-mêmes! Profit, égoïsme et assurances!»

Prier pour les autres aussi pour rayonner, diffuser la foi en Dieu, l'espérance et le sens. Cela se diffuse concrètement par la solidarité active et perçue. Mais aussi, plus mystérieusement, par ce qu'avec Paul on appelle le Corps du Christ (cf. Ep 4, 12-16). Le Christ en est la tête, nous les membres. Les liens ne sont pas seulement entre la tête et les membres, mais aussi entre les membres eux-mêmes : « le Corps reçoit de la Tête concorde et cohésion par toutes sortes de jointures qui le nourrissent et l'actionnent selon le rôle de chaque membre, opérant ainsi sa croissance et se construisant lui-même, dans la charité » (4, 12).

Il n'y a de solidarités réelles que concrètes. La meilleure manière de se leurrer, c'est de se déclarer solidaire de tout le monde, et surtout des lointains. Etre humain, c'est se sentir solidaire de toute l'humanité, certes! Mais on ne rejoint l'humanité que par le chemin des êtres concrets, proches et lointains, avec qui on entre en alliance et en solidarité réelle. Il en est de même du Corps du Christ. Hypocrite et menteur qui fait fonctionner cette solidarité universelle dans sa prière d'intercession, mais évite comme peste la solidarité concrète qui s'offre à lui.

Prier « pour » les autres? Cela fait tellement transfert de capitaux : je t'ai fait un petit paquet de prières, tu ne vas pas tarder à le recevoir. Peut-être serait-il préférable de dire : prier « avec » les autres. C'est avec les autres que je vis cette existence abandonnée à elle-même par l'Absence de Dieu, c'est avec les autres que je prie pour mettre la foi dans cette existence et en faire, les uns avec les autres, un chemin vers la Présence, vers la rencontre avec Celui qui vient.

Qu'on l'explicite ou pas, prier est toujours d'abord un dialogue entre Dieu et moi, mais un dialogue où les autres nous rejoignent bien vite.

3. L'INTERCESSION POUR LES MORTS

La seule manière efficace d'aborder l'intercession pour les morts, c'est l'ironie. Mon expérience pastorale me le dit : seule l'ironie, en un pemier temps, a la vertu de débusquer la pensée religieuse des automatismes de la peur, de l'impuissance devant l'inconnu.

Chaque vie est inscrite constamment sur un compte. Avant la mort de l'homme, on y enregistre toutes les opérations, en avoir ou en dette, faites par lui ou par d'autres à son nom. Par contre, à partir de la mort du détenteur, on n'enregistre plus que les versements venant de tierces personnes. C'est pourquoi les personnes prudentes et avisées — et qui en ont les moyens, quelle qu'en soit la provenance — laissent par testament de quoi payer pendant longtemps beaucoup de prières. Après avoir vécu toute une vie dans un monde où le riche s'en sort toujours très bien — preuve évidente que Dieu est avec lui ! — il n'y a vraiment aucune raison de penser que l'autre monde fonctionne différemment.

Et il y a dans l'autre monde des gens qui sont morts depuis trop longtemps. Imaginez un Nabuchodonosor, ou plus loin encore un chasseur dc dinosaures. Ils sont des millions et des millions, tous ces hommes inconnus, oubliés, passés inaperçus : désormais, ils attendent. Plus personne ne prie pour eux, leurs comptes ne progressent plus ! Ou à peine de quelques unités chaque année, le 2 novembre !

Et chaque année aussi, Dieu vient relever les comptes. « Mon cher Nabu, je t'aime bien ; personnellement, il y a longtemps que je n'ai plus rien contre toi. Mais au rythme où ton compte progresse depuis le dernier millénaire, tu n'es pas encore sorti de l'auberge ! » A d'autres, au contraire, il peut annoncer : « Mon cher, on s'est bien occupé de toi. Homme avisé, avant de quitter ta dernière fonction terrestre, tu t'es arrangé pour que d'autres travaillent pour toi vite et bien. Aujourd'hui, voici la récompense de ta prudence ! »

Triste humour, ou réalité largement répandue ? Prier pour les morts, n'est-ce pas alimenter leurs comptes ? Dieu n'est que comptable, rien n'échappe à ses calculs et la charge la plus sacrée des survivants n'est-elle pas de ne pas abandonner leurs morts à leur impuissance, à la dure et froide indifférence du comptable céleste ? Que l'on parle de Dieu en termes d'amour ou de sévère justice, derrière les mots différents se cache la même perception : la mort livre l'homme à l'Ennemi. Et c'est solidarité humaine la plus sacrée que de fournir au mort les armes qu'il ne peut plus se forger lui-même.

Conscients des erreurs que recèle cette pensée religieuse, d'autres croient bon d'éliminer totalement la prière pour les morts. Quand un homme est mort, son sort est désormais fixé, l'affaire est close, il n'y a plus à prier pour lui.

Si je saisis bien cette réaction, la différence avec les premiers ne tient pas à la prière d'intercession religieuse. Celle-ci n'est pas critiquée et elle fonctionne pour les vivants. La différence tient uniquement au fait que l'on pense que la mort bloque le compte. L'affaire s'arrête donc plus tôt, dès la mort, mais elle s'est déroulée jusque-là selon les mêmes principes religieux : l'homme doit se faire valoir devant Dieu et triompher de cet Ennemi implacable. Pour les premiers, cette action peut se poursuivre au-delà de la mort par la prière pour les morts, pour les seconds cette action s'arrête avec la mort. Les uns et les autres sont pourtant d'accord sur le processus de cette action.

4. INTERCÉDER POUR QUE TRIOMPHE L'ESPÉRANCE

Comme toute prière, la prière pour les morts ne se fait pas *pour que* Dieu se souvienne de sa fidélité, de ses promesses de miséricorde, ni pour l'engager à les faire valoir maintenant au profit de tel ou tel mort. Elle se fait au contraire, au risque de cesser d'être une prière de la foi, *parce que* Dieu est miséricordieux et fidèle et *pour que nous* (moi qui vis la mort de l'autre, d'un être cher, et qui m'en sens menacé et déjà atteint, et lui qui est déjà mort) sachions accueillir cette miséricorde et fidélité de Dieu pour y puiser, moi l'espérance et lui la vie définitive.

En effet, quand un être meurt, il est perdu, doublement perdu : parce qu'il est pécheur, et parce qu'il est mort. Telle est l'information que me donnent la réalité et l'expérience.

S'il s'agit d'un être cher, s'ajoute encore à cela une douloureuse amputation dans ma propre vie, un début de mort en moi-même, la promesse qu'un jour, inéluctablement, la mort achèvera son œuvre. C'est la peur, l'angoisse, la réduction de mon existence par disparition de tout horizon.

Cette première information qui me vient de l'expérience, de l'évidence : ou bien c'est la seule que je reçois et je sombre, ou bien je suis capable de lui en opposer une autre, plus forte, et je domine la mort. Et cette autre information, plus forte que la première, me vient de la foi. Elle me dit : oui, cet homme mort est doublement perdu : il est pécheur, et il est mort — mais il est doublement sauvé, car Dieu pardonne, et Dieu ressuscite. Elle me dit ensuite : oui, cette mort est déjà un peu, beaucoup, ta propre mort — mais tu peux dès maintenant, toi aussi, accéder à l'espérance. Cette information, où la recevrai-je ? Où m'atteindra-t-elle, moi personnellement, libérant lentement mon cœur de la détresse et de la peur, pour y remettre la paix « qui dépasse tout entendement » (Phil 4, 7) ? Où donc, sinon dans la prière !

Voici un être très cher que la mort vient de me ravir. Un échange merveilleusement vivifiant nous unissait. L'amour, entre nous, donnait et recevait : toute ma joie de vivre était de faire vivre l'autre et d'en recevoir le même don. Et voici que la mort a tout cassé : l'autre a disparu. Je ne puis plus l'atteindre, ni rien en recevoir. C'est bien l'autre qui est mort, mais la mort s'est aussi installée en moi, en réduisant à néant tout ce qui me faisait vivre. Dès lors, la prière « pour les morts » n'est-elle pas d'abord une prière « contre la mort » ? Contre la mort qui me menace doublement, parce que je ne reçois plus rien de celui qui me faisait vivre et parce que je ne peux plus rien lui donner ?

La prière contre la mort me semble être la forme la plus radicale de la prière de la foi, celle qui jette l'homme dans la confrontation avec Dieu la plus douloureuse, mais aussi la plus vraie, la plus achevante.

La mort m'enlève un être cher : désormais, je ne pourrai plus l'atteindre, plus le faire exister. Il m'échapppe et ce vide me blesse. Dans la prière contre la mort, je dois apprendre à laisser aller l'être cher auprès de Dieu. Désormais c'est Lui et Lui seul qui le fait exister, et j'apprends dans la prière à rendre grâces à Dieu d'être, Lui seul, plus fort que la mort. Il ne s'agit pas de se résigner, de se soumettre à la cruelle volonté de Dieu : la prière retomberait en religion. Dans une prière de la foi, il s'agit de remettre à Dieu le soin de cet être, et ce soin me manque tellement qu'il faut que j'apprenne, dans la prière, à le remettre à Dieu. Comment ne pas se détruire à essayer vainement de retenir ou de rappeler celui qui est mort, à moins d'apprendre à le confier à plus Vivant que soi ?

Mais la mort me frappe aussi en me privant, moi, de tout ce que je recevais de l'être cher. Son absence creuse en moi un vide mortel : celui qui me faisait exister ne m'atteint plus. Dans la prière contre la mort, je dois donc apprendre à transformer ce vide en appel de Dieu, à Le découvrir davantage comme Celui qui me fait exister. La prière contre la mort se révèle ainsi comme le sommet du combat de la foi.

Dans les trois fonctions que nous avons reconnues à la prière, la deuxième est partiellement annulée par la mort : pour cet être que la mort vient de me ravir, je n'ai plus rien à faire, plus rien à vivre, je n'ai donc plus à m'y préparer. Reste cependant la vie qui se poursuit avec les autres êtres, et la prière contre la mort me prépare donc à exister avec Dieu, sans l'être mort, mais avec les autres.

Par contre, les première et troisième fonctions atteignent leur paroxysme. « Dieu me fait exister » : quelle occasion plus forte, plus brûlante, de reconnaître ma pauvreté, mon désir et Sa fidélité que face à la mort ? « Je fais exister Dieu » : quelle reconnaissance plus complète et plus déchirante, donc plus authentique, que celle de Lui remettre l'être cher qu'il m'appartenait jusque-là de faire exister ?

Il ne s'agit donc pas de prier « pour » les morts, avec ce sens commercial de transfert de mérites. Il s'agit de prier d'abord « contre » la mort, puis « avec » ceux qui sont morts. C'est bien pour cela que la liturgie d'enterrement culmine, comme toute liturgie, dans l'action de grâces et en particulier dans une Préface, humainement invraisemblable, qui nous fait dire : « Vraiment, il est juste et bon de te rendre grâces en tout temps (donc aussi en ce temps de mort) et en tout lieu (donc ici, auprès de ce mort) car tu es le Dieu Vivant qui nous fait tous vivre et ressusciter ! »

Prier contre la mort et pour que triomphe l'espérance — pour que le Dieu de la Vie triomphe en moi comme en tout homme atteint ou menacé de mort — concentre la prière du croyant en ses fonctions essentielles : vivre dans la foi l'alliance avec le Dieu Vivant et la vivre sans limites, même pas celle de la mort.

Ce qu'il advient des morts, ce qui se passe exactement après la mort, on peut en dire beaucoup de choses plus ou moins sûres. Seul l'essentiel est sûr : eux, les morts, et nous, les vivants, nous sommes bénéficiaires de la Puissance de salut, ou alors nous sommes perdus. Et cet essentiel, seule la prière nous le restitue, car c'est dans la prière que Dieu vient « instruire l'homme » et que l'homme apprend à entendre cette instruction : « Quiconque entend l'enseignement du Père et s'en instruit, vient à moi, et moi je le ressusciterai » (Jn 6, 44 ss).

Prier « contre la mort » et « avec les morts », c'est s'ouvrir à cet enseignement du Père, c'est accueillir la mort et la dépasser déjà, c'est grandir dans l'espérance, celle qui « ne déçoit pas » (Rm 5, 5).

5. Souviens-toi, Seigneur, de ton peuple

Non, Dieu ne souffre pas d'amnésie ! Comme plus haut pour les paroles du Notre Père, dire à Dieu : « Souviens-toi de nous », et le dire dans la prière de la foi, c'est retrouver nous-mêmes la certitude que nous ne sommes jamais en oubli devant Dieu. Le grand problème, la grande épreuve, c'est l'Absence. La grande prière, celle de la tradition biblique et chrétienne, celle qui est au cœur de la célébration eucharistique, c'est la prière de mémorial : « Souviens-toi, Seigneur, de ton peuple ! »

Peuple en marche, à travers l'histoire, à travers la mort, vers Dieu, vers la vie. A sa tête, il y a le Christ, lui qui a inauguré et révélé la voie d'accès au Père et à la vie, qui nous précède et nous y attire. « Souviens-toi, Seigneur, de Jésus-Christ ! »

Derrière lui, ceux qu'on appelle les saints, en premier la Vierge Marie, et tant d'autres, où l'on choisit librement tel ou tel qui nous parle davantage. Eux aussi nous précèdent, nous encouragent, nous instruisent et nous attirent. « Souviens-toi, Seigneur, de tes apôtres, martyrs et confesseurs ! »

Puis tous les vivants, tous les hommes de bonne volonté et tous les autres aussi, à quelque titre que ce soit faisant corps avec ce peuple. « Souviens-toi, Seigneur, de tous les hommes. » Et puisque la solidarité n'est universelle qu'en étant concrète : « Souviens-toi, Seigneur, de celui-ci et de celle-là ! »

Enfin tous les morts ! Difficile à dire exactement ce qu'ils font, mais une chose est certaine : la mort ne les a pas séparés du peuple de Dieu. Alors « souviens-toi, Seigneur, de nos morts ! »

Et Dieu se souvient, et Dieu attire, et Dieu sauve. Non pas parce que nous prions. Il se souvient parce qu'il est celui qui se souvient. Et quand nous prions, c'est nous qui retrouvons la mémoire, c'est nous qui nous souvenons de Dieu, de ses promesses, de son œuvre de salut en Jésus, dans les saints, autour de nous, c'est nous qui retrouvons le goût de reprendre la marche, pour aller avec toute l'histoire à la rencontre de Celui qui Vient.

CONCLUSION

CE DIEU ABSENT
QUI FAIT CONFIANCE

C'est l'Evangile de Jésus qui nous a conduits jusqu'ici. C'est à lui aussi qu'il revient de conclure, en répondant, durement peut-être mais clairement, à notre titre. Ce Dieu absent qui fait problème, c'est celui qui par là même fait confiance. « Il en va du Royaume comme d'un homme qui, partant en voyage, appela ses serviteurs et leur confia ses biens » (Mt 25, 14).

La vie serait plus facile et plus sûre, si le Maître ne partait pas ! Mais Dieu se veut absent pour être celui qui libère l'espace de l'histoire, de la peine, de l'échec et de la réussite, le seul espace qui puisse élaborer l'homme.

Dieu se veut absent pour être « celui qui vient » (Ap 1, 4), celui donc que l'homme attend en prenant part réelle et risquée à l'immense chantier de la vie.

Dieu se veut absent pour être celui que l'on choisit, non par peur ni par intérêt, mais par l'appel du désir de plus en plus reconnu.

Dieu se veut absent pour que l'homme puisse accéder à la béatitude : « Heureux ces serviteurs que le maître à son arrivée trouvera en train de veiller » (Lc 12, 37).

Ainsi donc, toute notre recherche s'est polarisée sur un point unique : l'avenir de la Résurrection, de l'homme achevé dans la rencontre avec le Dieu Vivant. « Si le Christ n'est pas ressuscité, notre parole est vide » (1 Co 15, 14). Toute quête de sens qui n'est pas orientée sur la Résurrection est condamnée à ne saisir que du vent. En christianisme authentique, celui qui est foi et non religion seulement, la Résurrection est la seule source de sens, pour la vie, pour la pensée et pour tout problème.

Seul l'avenir avec le Dieu qui Vient peut éclairer le regard qu'aucun homme ne peut éviter de porter sur le mystère du Dieu Absent.

TABLE DES MATIÈRES

Deuxième partie
DIEU ET LE MONDE

Troisième partie
LA PRIÈRE

Théologies

APOLOGIQUE

Apologique vient du mot « apologie » qui signifie « défense, réponse, justification », en un mot plaidoirie dans un procès.

Par-delà les excès de l'apologétique, cette collection veut redonner à la théologie sa verve primitive, le dynamisme de la plaidoirie, où chaque partie marque clairement les enjeux, afin que les discussions de la foi ne deviennent pas étrangères au « sens communs ».

THÉOLOGIES

Cet ouvrage a été reproduit et achevé d'imprimer
en mai 1989 par l'imprimerie Laballery — 58500 Clamecy
Dépôt légal : mai 1989. N° d'éd. : 8120. N° d'impr. : 904078